Destins En

DESTINS ENTRELACÉS

First edition. August 9, 2023.

ISBN: 979-8223476207

Written by Jessica Versailles.

Table des Matières

Jessica Versailles 1
Chapitre 1 3
Chapitre 2 13
chapitre 3 22
Chapitre 4 32
Chapitre 5 41
Chapitre 6 51
Chapitre 7 57
Chapitre 8 65
Chapitre 9 72
Chapitre 10 80
Chapitre 11 88
Chapitre 12 99
Chapitre 13 107
Chapitre 14 118
Chapitre 15 129
Chapitre 16 139
Chapitre 17 148
Chapitre 18 157
Chapitre 19 163
Chapitre 20 171
Fin 181

Jessica Versailles

Poussée dans une vie qu'elle n'a ni demandée ni voulue, Harper essaie d'en tirer le meilleur parti. Puis il arrive et la vie est devenue plus compliquée.

Chapitre 1

Je suis debout dans ma chambre à regarder ma tenue dans le miroir pour la 100ème fois...

« Harper, es-tu prêt ? Nous devons partir !

il faudra le faire, je me dis que mon père hurle d'en bas.

« Sois en bas dans une minute papa ! »

J'attrape ma tablette, mon sac à main, mon téléphone et mes clés, puis les jette dans mon sac avant de descendre.

"Wow, tu as l'air très professionnelle chérie", me sourit mon père.

« Merci. Alors qui conduit ? » je lui demande en passant devant lui jusqu'à la porte.

« Ni bébé, une voiture nous attend dehors. »

"oh, ok," répondis-je, quelque peu surpris.

Nous quittons notre maison surdimensionnée et montons dans la voiture qui nous attend devant.

"ok harper, aujourd'hui est extrêmement important, j'ai besoin que tu m'écoutes attentivement..."

J'ai regardé par la fenêtre sur notre route. J'ai arrêté d'écouter mon père à la seconde où il a dit "extrêmement important". Je peux penser à mille endroits différents où je préférerais être en ce moment, mais malheureusement, c'est ma vie. Mon père est un homme d'affaires extrêmement prospère et est la troisième génération à poursuivre l'entreprise familiale. Notre entreprise a les doigts dans beaucoup de tartes, y compris l'immobilier et la publicité. Mon père est très bon dans ce qu'il fait, l'entreprise est littéralement sa vie ! Lorsque ma mère est tombée enceinte, il disait constamment à ses amis et à sa famille qu'il avait hâte d'avoir un fils à qui transmettre l'entreprise. Inutile de dire qu'il a été choqué et quelque peu déçu quand je me suis avéré être une petite fille rebondissante. Pas du genre à hésiter devant un défi, mon père a juré de faire de moi la femme d'affaires la plus prospère que le monde ait jamais vue et a immédiatement commencé à me présenter comme la prochaine PDG quand j'aurai atteint l'âge adulte. Ma mère, en ayant assez de se battre avec une entreprise pour son attention, l'a quitté quand j'avais deux ans. Maintenant, ne vous méprenez pas, je ne blâme pas ma mère de l'avoir quitté, mais ce que je ne lui pardonnerai jamais, c'est de me laisser derrière moi aussi. Salope égoïste ! Incapable et ne voulant pas être un père célibataire fiable, j'ai été envoyé dans un pensionnat pour filles dès que j'ai été assez vieux. J'ai excellé dans toutes mes classes et le jour de mon 16e anniversaire, j'ai été emballé et ramené à la maison pour travailler aux côtés de mon père tout en étant scolarisé à la maison afin que je puisse apprendre les méthodes de l'entreprise Henderson. Je suis maintenant dans ma troisième année de licence en commerce et pour mon 21e anniversaire la semaine dernière, mon père m'a offert mon propre bureau. Cela nous amène à aujourd'hui où je suis amené à ma première grande réunion de concurrents pour soumissionner pour un client.

"Harper, écoutez-vous?"

Je soupire avant de répondre : « Oui papa, haut et fort. » Je sens mon téléphone vibrer dans mon sac alors je le sors pour voir un texto de ma meilleure amie, Victoria.

Victoria : Bonne chance aujourd'hui, magnifique même si je sais que tu vas tout casser ! Beaucoup d'amour mwah xx

harper : merci bébé, je t'appellerai après. Mouah xx

Victoria et moi étions colocataires au pensionnat, nous avons grandi ensemble et sommes incroyablement proches. Vic sait que je n'ai aucun intérêt à reprendre l'entreprise et a toujours essayé de me pousser à suivre mes rêves. Elle me laisse lui exprimer mes frustrations et je l'aime pour ça.

"Je sais que c'est éprouvant pour les nerfs mais c'est essentiellement votre dévoilement, j'ai besoin que vous apportiez votre jeu Harper", me sermonne mon père.

"Quoi que vous disiez," soufflai-je tout en continuant à regarder par la fenêtre.

"Harper !"

Je le regardai à contrecœur.

"Tu dois prendre ça au sérieux. Tu ne vas pas m'embarrasser aujourd'hui, tu m'entends ?"

"Bien sûr papa," dis-je avec un sourire forcé.

Il laisse échapper un soupir frustré. Mon père aime prétendre que nous avons une relation parfaite, mais en toute honnêteté, je ne peux pas être foutu de lui.

"nous sommes là" annonce-t-il alors que la voiture s'arrête. Je sors de la voiture et marche aux côtés de mon père dans un bâtiment impressionnant. Nous sommes accueillis par une jolie jeune femme dont le sourire illumine la pièce. Je plâtre sur mon meilleur faux sourire comme je le fais depuis des années maintenant.

"Bon après-midi Mr Henderson et Miss Henderson."

La jeune femme nous tend la main pour nous saluer et mon père et moi la serrons.

"Je m'appelle Kerry, je suis le père de M. Simm. J'ai des badges nominatifs pour vous, des cordons de visite et vos dossiers d'information", dit-elle en nous tendant à chacun une grande enveloppe.

« Merci Kerry. » Je lui souris.

"de rien madame."

"S'il vous plaît, appelez-moi Harper", lui dis-je, "je l'aime bien.

"si vous voulez me suivre s'il vous plait."

Nous suivons Kerry comme demandé et mon père se penche pour me chuchoter.

« on est là pour travailler, plus difficile de ne pas se faire des amis. »

Je me tourne vers lui et souris, « c'est ce que tu penses que je fais ? » Je regarde sa bouche tomber quand je conteste ses observations. Attention papa, je suis en mode affaires maintenant, ne prétends pas me connaître.

« Si vous voulez vous asseoir ici, s'il vous plaît, M. Simm sera là dans quelques minutes. » Kerry nous sourit et je la remercie gentiment.

Je m'assieds et admire mon environnement. Je vois le munro de l'autre côté du couloir. Les munros sont nos plus grands concurrents.

« Pas de surprise de voir ces deux là. » se moque mon père.

Ils nous ont vus et se dirigent maintenant vers l'endroit où nous sommes assis avec ces sourires arrogants sur leurs visages. Nous nous tenons à leur approche.

« Henderson ! Je dirais que je suis surpris mais je mentirais », sourit M. Munro.

"Munro," papa acquiesce. Jésus, les hommes et leurs egos.

M. Munro fait un geste à côté de lui, "tu connais mon fils alex."

"Bien sûr, comment pourrions-nous pas ?"

Alexander junior Munro, célibataire de 24 ans qui cherche désespérément à reprendre l'affaire de papa mais papa ne lâche pas prise.

Alex fait un signe de tête à mon père, "M. Henderson, je vois que vous avez amené votre assistant", il me sourit et je lève les yeux au ciel devant son originalité.

" Messieurs, vous connaissez déjà ma fille harper. "

mr munro leed vers moi, "wow petit harpiste, regarde-toi tous grandis", ses yeux errent de haut en bas de mon corps. Il a trois secondes pour s'arrêter avant que je ne les sorte de sa tête.

« Alex, tu te souviens d'Harper, tu jouais ensemble quand tu étais gamin », dit M. Munro sans me quitter des yeux. "Tu étais probablement trop jeune pour te souvenir de harper."

Il n'y a pas grand-chose de mon enfance qui vaille la peine d'être rappelé, monsieur Munro.

Je plaque à nouveau ce faux sourire. M. Munro sourit, Alex se moque et mon père a l'air de pouvoir éclater de colère en ce moment.

M. simm apparaît soudainement devant nous, ok sommes-nous prêts à mettre ce spectacle sur la route ? Les trois hommes sont toujours debout en train de mesurer leurs bites alors je m'approche de monsieur simm.

Bien sûr, M. Simm, voudriez-vous ouvrir la voie ?

Nous sommes conduits dans une salle de conférence joliment décorée qui laisse entrer beaucoup de soleil dans laquelle illumine l'art sur les murs et la grande table en verre placée directement au milieu.

Très impressionnant monsieur simm.

Merci mademoiselle henderson.

Mon père n'a pas l'air amusé alors qu'il arbore son air renfrogné trop familier et secoue la tête pendant que le munro ricane. M. simm est assis en tête de table avec son père à ses côtés pour prendre des notes. Les munro sont assis d'un côté de la table tandis que mon père et moi sommes assis de l'autre. Je me situe avec tout ce dont j'ai besoin pendant que tout le monde me regarde. Je lève les yeux et Kerry est la seule à me sourire.

Ok donc vous savez tous pourquoi vous êtes ici, monsieur simm commence, kerry ici a envoyé ce que nous recherchons dont vous avez une copie dans vos packs. La meilleure proposition obtient le travail. Nous commencerons par Munro, puis nous entendrons Henderson. Sommes-nous prêts à commencer ?

Prêt quand vous êtes M. Simm, Mme Munro répond rapidement.

Bien sûr, monsieur Simm, j'acquiesce poliment.

M. Munro se lève et commence sa présentation. Je me désintéresse des 60 premières secondes et j'écris mes propres notes dans le dossier qui nous a été remis mais je ne peux pas m'empêcher de me sentir observé. Je lève les yeux pour voir Alex me fixer. Le mec doit trouver autre chose à regarder.

Une fois la présentation terminée, Mme sim s'assied silencieusement pendant un moment en lui caressant le menton. Tout cela a l'air très bien, M. Munro, mais comment allons-nous financer cela ?

J'écoute attentivement pendant qu'il prononce les mots redoutés "coupures de personnel".

Eh bien, si c'est ce qu'il faut faire. Mme simm répond et je fronce immédiatement les sourcils et alex saute sur l'occasion pour me relever.

T'as un problème là barbie ?

Oh non il ne l'a pas fait !

Je ne suis pas sur le point d'interrompre la proposition de M. Munro, donc j'attendrai de répondre à votre question jusqu'à ce que j'aie la parole.

Oh tu vas bien ma chérie, j'ai fini, Mr Munro me sourit.

C'est Mlle Henderson.

Je me lève et tends une copie de mes chiffres et graphiques recherchés à Kerry et à monsieur simm.

Je ne pense pas avoir besoin de présenter notre entreprise car je crois que notre nom et nos résultats parlent d'eux-mêmes...

Est-ce une farce? Alex craque.

Vous la laissez faire l'enchère ? demande M. Munro avec de grands yeux.

Kerry et moi nous croisons les yeux et nous sourions

Papa est assis avec un énorme sourire sur le visage, c'est le travail de Harper, c'est juste qu'elle le présente.

Si cela ne vous dérange pas, je ne vous ai pas interrompu pendant votre proposition, donc j'apprécierais la même courtoisie. Je rencontre des expressions choquées de la part de tous les hommes, à l'exception de mon père suffisant.

Je continue ma proposition cependant, je refuse de regarder mon père ou celui des munro, concentrant toute mon attention sur monsieur simm. Une fois que je suis près de la fin, je décide d'y entrer avant que la question ne soit posée.

Si vous jetez un coup d'œil aux annexes, vous verrez une liste des articles que vous utilisez actuellement et qui peuvent être remplacés par des articles moins chers. Cela n'affectera pas la qualité de votre produit, mais cela vous fera économiser beaucoup d'argent, vous permettant ainsi de financer cette proposition. Des questions? Je sais très bien qu'il n'y en aura pas, je m'assure toujours de tout aborder et de tout expliquer tout au long de la présentation afin qu'il n'y ait pas besoin d'éclaircissements ou de questions à la fin.

Mr simm a l'air un peu choqué. N... Non mademoiselle Henderson, je crois que ça couvre tout.

Je souris poliment et prends place.

Eh bien, il y a certainement beaucoup à penser. Je communiquerai ce soir avec ma décision. Merci à tous pour votre temps.

Je souris poliment et me lève pour serrer la main de M. Simm et de Kerry avant de quitter la pièce avec confiance. Dès que je suis au rez-de-chaussée, je téléphone immédiatement à vic.

Appel téléphonique - harper : salut ma belle, peux-tu venir me chercher ?

Appel téléphonique victoria : bien sûr, en dehors de votre réunion ?

Appel téléphonique - harper : je vais marcher le long de la rue. Appelez-moi quand vous arrivez.

Appel téléphonique - victoria: va faire bébé

Je viens à peine de raccrocher le téléphone et de le mettre dans mon sac quand mon père arrive derrière moi.

Je pensais que tu aurais déjà été dans la voiture.

Je rencontre Victoria, je ne serai pas à la maison ce soir.

Harpiste...

Je suis venu à la réunion, maintenant je sors avec mon ami. Je vous verrai plus tard.

Sur ce, je m'éloigne de lui. Je ne suis pas d'humeur à discuter avec lui et je ne suis certainement pas d'humeur à passer du temps avec lui.

Harpiste !

Je l'ignorai en me dirigeant vers un petit café. Je commande mon café et m'assieds près de la fenêtre pour pouvoir surveiller la victime. Trente minutes plus tard, je la vois s'arrêter.

Bien? Elle demande avec un sourcil levé et un sourire alors que je saute dans sa voiture.

Quoi?

Vous avez réussi, n'est-ce pas ?

Papa voulait le marché alors j'ai fait du mieux que j'ai pu. Je hausse les épaules.

Vic rit, ouais tu l'as compris.

Ah arrête.

Je ne sais pas pourquoi tu ne lui dis pas simplement que tu n'es pas intéressé par l'entreprise familiale.

Je roule des yeux et soupire, j'ai essayé mais il pense juste que c'est un manque de confiance.

Bébé, tu ne fais jamais rien si tu n'es pas confiant.

"Je suis sûr que je veux qu'on aille boire un verre et danser ce soir," je souris.

« c'est parti ! »

Nous retournons à l'appartement de deux chambres de Vic où je passe le plus clair de mon temps. Nous commandons une pizza, ouvrons une bouteille de vin et mettons de la musique pendant que nous nous préparons.

"Ok, je vais faire?" J'ai fait ma plus belle moue en posant pour ma meilleure amie.

« Bloody Hell Harper ! » Vic rigole, « avez-vous une licence pour ces seins ?

« vic ! »

"Les hommes vont te presser ce soir, ma chérie", Vic me fait un clin d'œil.

"En espérant que je pourrais faire avec des bonbons pour hommes."

"En parlant d'homme bonbon..." Je la regarde et la vois sourire en coin, "parle-moi d'Alex munro."

J'ai laissé échapper un gémissement, "c'est un connard."

"un connard sexy quand même."

« Si tu le dis, » je ris.

"C'est quoi son problème de toute façon ?"

"Aucune idée chérie, nos pères ne peuvent pas se supporter et il a visiblement l'impression que je suis une poubelle par association."

« Ugg, les hommes ! »

Nous terminons notre bouteille de vin puis appelons un uber pour nous emmener dans notre club préféré, double ou rien.

"Wow ça saute ce soir ! Vic crie alors que nous nous frayons un chemin à travers les hordes de gens.

"juste la façon dont nous l'aimons!" Je lui crie dessus.

Nous prenons quelques verres et nous dirigeons vers la piste de danse.

Après environ une heure à boire et à danser, nous décidons de faire une pause dans la salle de bain, mais lorsque nous arrivons chez les dames, nous remarquons qu'un type harcèle une jeune femme devant la porte.

"Laisse-moi tranquille! "

"Oh viens, juste un petit bisou."

Le douchebag se penche sur elle en essayant d'obtenir un baiser.

« ewww lâche-moi ! » crie la jeune femme en essayant de le repousser.

« hé ! Laisse-la tranquille ! » je crie au connard.

Il se retourne et grogne sur vic et moi.

« Tu es sourd ? » lui crie Vic, « dit-elle en la laissant seule ! »

"Regarde comme elle est habillée ! Elle en supplie !"

il ne vient pas de dire ça ! Je serre les poings alors qu'il se retourne vers la fille.

« Maintenant, où en étions-nous ?

Je marche vers le trou du cul, le fais tourner et le mets à genoux dans la jonque.

"argh putain !"

Je me penche vers le visage de l'enfoiré alors qu'il se plie en deux de douleur, "maintenant va te faire foutre !"

« Que diable se passe-t-il ici ? » crie quelqu'un derrière moi et je me retourne rapidement pour voir qui c'est.

Merde!

Chapitre 2

Alex hausse les sourcils en attendant une réponse de notre part. Bien?

Je lève les yeux vers lui et me tourne vers la jeune femme.

Est-ce que tu vas bien? Est-ce qu'il t'a fait mal?

Je vais bien, merci, tous les deux. Elle fait un câlin à Vic et moi.

Blesser? Qu'est-ce que... Rebecca, de quoi parlent-ils ?

Je pointe vers Alex, est-ce que ce fou t'embête ?

La jeune femme, que je connais maintenant s'appelle Rebecca, éclate de rire.

Merci mais il va bien, c'est mon frère.

Pas de merde, les yeux de la victime s'écarquillent en essayant d'étouffer son rire.

Je regarde entre Rebecca et Alex. Je n'ai aucune idée de la façon dont quelqu'un d'aussi adorable peut être apparenté à cet imbécile.

Rébecca !

Rebecca roule des yeux vers lui, calmant grand frère. Un gars devenait un peu bricoleur et ces deux charmantes dames l'ont envoyé faire ses valises. J'ai eu de la chance qu'ils soient là.

Vous savez qui c'est, n'est-ce pas ? Il me pointe du doigt comme s'il souhaitait que des lasers sortent de son doigt.

Ah on y va. je grogne.

Rebecca me regarde un instant puis se retourne vers Alex, devrais-je ?

C'est une gamine du vieil homme d'Henderson ! Je peux entendre le venin couler de cette déclaration. Rebecca se retourne vers moi d'abord un peu choquée puis son expression s'adoucit et elle sourit.

Alors quoi, je l'aime bien.

Je suis sûr que je viens d'entendre Alex grogner.

Puis-je vous offrir un verre à tous les deux pour vous remercier ?

Rébecca !

Reculez Alex !

Je ne peux pas m'empêcher de rire, c'est vraiment gentil de ta part mais je ne veux pas causer de problèmes entre toi et ton frère. Bonne nuit et prends soin de toi.

Je me tourne vers Alex pour lui lancer un dernier regard sale, puis Vic et moi nous dirigeons vers les toilettes. Au moment où nous entrons, nous entendons Rebecca crier après Alex.

Et bien j'espère que tu es content de toi connard !

Rebecq...

Faire chier!

Oh mon Dieu, elle a l'air énervée contre lui. Vic rigole.

Nul doute que je serai également blâmé pour cela.

On fait nos affaires, on se lave les mains et on se maquille. Lorsque nous quittons les toilettes, je sens une main m'attraper et me tirer sur le côté.

Qu'est-ce que... Je lève les yeux pour voir Alex devant moi avec ses mains contre le mur de chaque côté de ma tête.

Quel est votre jeu ? Il s'en prend à moi.

Harper es-tu...

Alex et moi nous tournons tous les deux pour regarder Victoria en même temps.

Vic regarde la scène devant elle et me sourit, je vais te laisser faire et aller nous chercher quelques verres.

Je serai juste derrière toi, je crie après elle.

Je regarde Alex, bouge !

Pas avant que tu me dises ce que tu fais.

Je n'ai aucune idée de quoi tu parles.

Êtes-vous sûr de cela?

Je n'ai pas besoin d'être sûr ! Je lui aboie dessus, tu penses que j'aurais juste dû prendre du recul et regarder quand une jeune fille pourrait avoir des ennuis ?

Les yeux d'Alex s'écarquillèrent de surprise, quoi ? Je n'ai jamais dit cela.

Êtes-vous sûr de cela?

C'est vrai connard, je viens d'utiliser tes mots contre toi. Nous nous regardons avec une telle intensité.

Je vous suggère de sortir de mon chemin.

Est-ce vrai.

Tu ferais mieux de le croire, à moins que tu ne veuilles que je te fasse ce que j'ai fait à ce connard.

Alex me sourit tu n'oserais pas.

Je me penche plus près de son visage et souris en retour, essaie-moi.

Alors que nous nous regardons, je remarque que ses yeux se déplacent vers mes lèvres puis s'abaissent encore. J'en profite pour le pousser hors de mon chemin avant de retourner au bar.

Eh bien, c'était intense. Vic rit en me tendant mon verre de vin.

Si tu le dis, je hausse les épaules.

Oh allez Harper, dis-moi que tu l'as ressenti aussi ?

Bébé, je ne sais pas de quoi tu parles.

Elle me tend une tequila et je la claque avant de prendre une autre gorgée de mon vin.

Vic me sourit, ouais, je pensais que tu pourrais en avoir besoin.

Oh chut.

Harper, c'est Matt, dit Vic en désignant le type incroyablement beau qui se tient à côté d'elle. J'étais tellement prise par ce qui s'est passé entre Alex et moi que je ne l'ai même pas remarqué.

Matt et moi échangeons des plaisanteries et je m'excuse de ne pas l'avoir salué plus tôt.

Matt et ses amis ont une table dans la section vip et il veut savoir si nous allons les rejoindre.

Est-ce vrai? Je lui souris alors qu'elle lui donne sa renommée. S'il vous plaît dites oui, s'il vous plaît dites oui, s'il vous plaît dites oui.

Vous souhaitez les rejoindre ? je lui demande timidement.

Je pense qu'il serait impoli de décliner son offre.

Matt et moi rions de sa réponse.

Montrez le chemin.

Je marche derrière eux tandis que Matt nous conduit à la table. Il a son bras autour de la taille de la victime et je sais déjà que cela va mener à la maison de l'entreprise.

Bon les gars c'est Victoria...

Oh merde! lâche Vic, interrompant Matt.

Est-ce que tu vas bien? Il lui demande, les sourcils froncés.

Je le suis, mais il ne le sera pas. Vic répond puis me tire vers l'avant pour me tenir à côté d'elle.

Mes yeux se sont agrandis et j'ai regardé Matt, s'il vous plaît dites-moi que ce n'est pas votre table.

Euh...

Alex est assis à la table en question avec un air énervé qui correspond au mien, Matt que se passe-t-il ?

Rebecca éclate de rire, c'est génial.

Écoute Vic, tu restes, je vais juste rentrer à la maison.

Est-ce que j'ai râté quelque chose? Vous vous connaissez tous les deux ? Matt pointe entre Alex et moi.

Ils le font bien sûr, tu ne peux pas sentir l'amour matt, chante Rebecca.

Oh je comprends, vous avez déjà couché ensemble.

Quoi non! Alex et moi protestons en même temps.

Vic hausse les épaules, eh bien tu devrais peut-être.

Vous ne pouvez pas être sérieux ! je hurle.

Cela libérerait une partie de cette tension sexuelle entre vous. dit Rébecca.

Vic rit, oh tu l'as remarqué aussi ?

Comme une enseigne au néon.

Vik ! Je lui tape sur l'épaule.

Rébecca ! Alex crie en même temps.

Matt rit, mon pote, pourquoi es-tu si énervé ?

Alex pousse son doigt vers moi, c'est elle !

Je ne t'ai rien fait !

Nous commençons à attirer les regards d'autres personnes.

Je ne fais pas ça, je m'en vais ! Alors que je commence à partir en trombe, Vic m'attrape la main.

Harper, ne pars pas.

Laisse-la partir si elle veut partir, se moque Alex.

Rebecca bouscule son frère, t'es vraiment un con !

Qu'est-ce que j'ai fait?

Je t'enverrai un texto quand je serai à la maison. Je dis à Vic et sur ce, je sors du club et prends le premier taxi que je peux trouver.

Fils de pute, qui se prend-il pour lui, il ne me connaît même pas.

C'est quoi cet amour ? Le chauffeur de taxi demande de l'avant. Je n'avais pas réalisé que je divaguais à haute voix.

Désolé, je parlais tout seul.

Le chauffeur rigole, la nuit ne se passe pas comme vous l'aviez prévu ?

Tu pourrais dire ça.

Nous avons parlé pendant tout le trajet de retour. Il a l'air d'un homme gentil, a une femme et deux enfants et travaille dans les taxis jusqu'à ce qu'il démarre son entreprise. Il m'a tout dit à ce sujet et j'ai fait quelques suggestions qui, je pense, pourraient aider.

Bon là on nous manque, le chauffeur me sourit.

Merci, dis-je en remettant un cinquante, gardez la monnaie.

C'est trop, dit-il en essayant de me rendre de l'argent.

Je lui fais signe de la main et souris, je la mets dans les fonds de votre entreprise.

Et bien merci beaucoup et merci pour les conseils commerciaux, dit-il, l'air encore un peu surpris de la générosité dont il a fait preuve.

De rien, j'espère que le reste de votre quart de travail se passera bien. Je lui souris et il me remercie encore alors que je sors de la voiture.

Manquer?

Je me retourne vers le chauffeur, m'attendant à ce qu'il me remette quelque chose que j'ai peut-être laissé accidentellement dans sa voiture.

J'espère que ça ne te dérange pas que je le dise mais... Eh bien, qui qu'il soit, c'est un idiot de t'avoir contrarié.

Je souris au chauffeur et le vois se détendre un peu, oui, oui il l'est.

Nous nous souhaitons une bonne nuit et il attend que j'entre dans la maison avant de partir. Je marche dans le hall et j'ai failli faire pipi dans mon pantalon quand une jeune fille arrive en courant rien que dans ses sous-vêtements en criant à tue-tête. Moins de deux secondes plus tard, mon père arrive en courant dans son boxer.

Merde, harpiste !

Beurk ! Je lève rapidement les mains pour couvrir mes yeux.

Je, euh... Je pensais que tu n'allais pas être à la maison, bégaye-t-il.

C'était le plan. dis-je en découvrant lentement mes yeux.

Papa plisse les yeux vers moi, que s'est-il passé ?

Les plans changent, je hausse les épaules.

La jeune femme qui ne doit pas être beaucoup plus âgée que moi est drapée sur lui.

Amusez-vous bien, essayez de ne pas avoir de crise cardiaque, lui dis-je en m'éloignant et en montant directement dans ma chambre.

Ma chambre est tout simplement incroyable. La chambre est à peu près de la même taille que l'ensemble de l'appartement. Je n'ai jamais compris pourquoi mon père doit avoir une si grande maison pour nous deux. Cependant, au cours des dernières années, j'ai été reconnaissant d'avoir cet endroit. C'est mon petit sanctuaire. Quand je ne suis pas au travail ou avec la victime, je me cache dans ma chambre pour éviter de passer du temps avec mon père.

Je me déshabille et me laisse tomber sur l'énorme lit et je reste allongé là pendant cinq minutes avant de me glisser sous les couvertures.

Le sommeil ne tarde pas à m'envahir.

J'entends mon téléphone sonner alors je tends le bras pour essayer de le trouver. Les yeux toujours fermés, je le localise rapidement et réponds.

Appel téléphonique - harper : bonjour ?

Appel téléphonique - Victoria : tu es toujours au lit, n'est-ce pas ?

Appel téléphonique - harper : non

Vic éclate de rire à l'autre bout du fil.

Appel téléphonique - victoria : menteur

appel téléphonique -harper : tu me connais si bien

appel téléphonique - victoria : tu le sais. Alors, à quel point me détestes-tu ?

Appel téléphonique - harper : je ne te déteste pas

appel téléphonique - victoria : ok, combien m'aimes-tu ?

Appel téléphonique - harper : que recherchez-vous ?

Appel téléphonique - victoria : j'ai besoin que tu viennes me chercher... s'il te plaît

Je ris au téléphone en m'asseyant dans mon lit.

Appel téléphonique - harper : envoyez-moi l'adresse et donnez-moi une demi-heure pour me préparer

appel téléphonique - victoria : je t'aime tellement !

Appel téléphonique - harper : ouais ouais, à bientôt

Je saute dans une douche rapide, enfile un joli short en jean coupé et un haut court blanc avant d'attacher mes longs cheveux blonds en un chignon désordonné et d'appliquer un maquillage léger. J'ai rapidement couru en bas pour mettre du café dans ma tasse de voyage seulement pour tomber sur mon père.

Oh, matin, dit-il alors que ses joues virent au rouge. Quelqu'un est encore gêné par la nuit dernière. Bien!

Je hoche la tête vers lui, matin.

Papa regarde pendant que je me précipite, il ferme son papier, le pose sur le plan de travail, tu es parti ?

Oui, je rencontre Victoria.

J'aimerais que tu coupes les ponts avec elle, cette fille a une mauvaise influence. Mon père n'aime pas Victoria parce qu'elle m'encourage à être moi, en plus je pense qu'il est jaloux. Je la préfère à lui.

C'est le père de ma meilleure amie, et Vic a été là pour moi presque toute ma vie. Cela ne changera pas.

Papa soupire, harper à propos d'hier soir...

Je ne veux pas l'entendre, je ne suis pas intéressé

ok, eh bien seriez-vous intéressé de savoir que nous avons obtenu l'accord de mr simm. Il est maintenant client de nos livres.

J'arrête ce que je fais et regarde mon père qui me regarde avec fierté dans ses yeux. Je ressens une pointe de culpabilité, comme je le fais toujours quand il me regarde comme ça et comme toujours ça s'estompe rapidement quand je me souviens qu'il n'est jamais fier de moi que quand je fais quelque chose qu'il veut lui faire plaisir.

Félicitations papa, je suis vraiment contente pour toi, dis-je avant de rouler des yeux et de me diriger vers la porte du garage.

Harpiste !

Je dois y aller, au revoir.

Je sors de la maison sans lui accorder un second regard et je saute dans mon bébé, un magnifique range rover noir.

Je m'arrête à l'adresse que Vic m'a envoyée et sors mon téléphone.

Harper : hé ma chérie, je suis là xx

victoria : viens sur le côté bébé, nous sommes dans le jardin xx

Je sors de la voiture et contourne la maison jusqu'au jardin. C'est vraiment une belle propriété. Ce type a clairement de l'argent. Je les repère rapidement en train de se blottir dans un bar extérieur.

Bel endroit Matt, dis-je avec un sourire en m'approchant d'eux

merci harper.

Vic vient me faire un câlin, tu es mignon.

Merci bébé, ce t-shirt te va vraiment bien, je souris et ils rient tous les deux. S'il lui donne une de ses chemises à porter à la maison, c'est bon signe qu'il veut la revoir.

Quoi de neuf, muff plongeur !

Les poils de ma nuque se dressent lorsque j'entends sa voix derrière moi. Je me retourne lentement et vois Alex me fixer.

Les yeux d'Alex s'écarquillent quand il réalise que c'est moi, oh merde ! Vous vous moquez de moi !

Je me tourne et fronce les sourcils vers vic.

Les yeux de Vic sont écarquillés et elle secoue la tête, je te jure chérie, je ne savais pas qu'il venait.

C'est l'heure du deuxième tour.

chapitre 3

Qu'est-ce qu'elle fout ici ? Alex aboie sans me quitter des yeux.

Je lui lance un regard noir, qu'est-ce que tu fous ici ?

Mon ami habite ici !

Mon ami est resté ici!

Alex serre les poings à ses côtés, es-tu toujours aussi exaspérant ?

Oui!

Cela l'a laissé perplexe, je peux dire qu'il ne s'attendait pas à ce que je dise ça d'après l'air abasourdi sur son visage.

Harper l'a arrêté, ce n'est pas vrai.

Je me tourne vers Vic et la vois et Matt se câliner avec des sourires sur leurs visages. Si je ne savais pas mieux, je dirais que c'était prévu.

Êtes-vous prêt à aller? je demande à Vic qui regarde rapidement Matt.

Tu es là maintenant, pourquoi ne restes-tu pas et prends-tu un café ?

Mat!

Matt étouffe un sourire en regardant Alex, quoi ?

Est-ce que tu me chies en ce moment?

Non, Alex, je ne le suis pas. Écoute, j'aime beaucoup Victoria et je veux la revoir.

Je ne vois pas ce que tu aimes Victoria a à voir avec moi. Je m'en prends à Matt.

Vic croise les bras devant elle, parce que tu es mon ride or die bitch, ce qui signifie qu'il va probablement y avoir des soirées de groupe et je te veux là-bas.

Vous avez déjà couché avec lui et maintenant vous planifiez des soirées en groupe. Prendre de l'avance sur vous-même n'est pas ce que vous aimez.

Ça suffit alex ! Matt l'avertit.

Je tourne la tête pour lancer un regard noir à Alex.

À qui diable penses-tu que tu lui parles comme ça ? Tu sais, je pensais que tu n'étais qu'un connard avec moi, mais il s'avère que c'est dans ton sang !

C'est riche venant de toi !

C'est assez!

Je sursaute de surprise lorsque Matt nous crie dessus.

Alex, tu es comme un frère pour moi, alors je dis ça par amour, calme ton cul têtu.

A vous de harper, laissez tomber le bouclier défensif pendant une minute vous voulez. Vic dit sévèrement.

Matt pointe Alex et moi avec un sourire narquois, maintenant je ne sais pas ce qui se passe entre vous deux mais je pense vraiment que vous devriez juste vous cogner et le sortir de votre système.

Alex et moi nous moquons tous les deux en même temps.

Maintenant tu es ridicule !

Pas même s'il était le dernier homme sur terre !

Alex tourne son attention vers moi, tu es terriblement sûr que j'aurais envie de toi !

Quand est-ce que j'ai dit ça ?

Tu n'étais pas obligé, j'ai vu la façon dont tu me regardes ! Il me sourit.

Vous avez perdu votre putain d'esprit ainsi que votre vue !

Alex roule des yeux vers moi, voudriez-vous déjà partir !

Volontier!

Personne ne va nulle part. Maintenant, asseyez-vous tous les deux. Matt nous instruit tous les deux.

Je soupire et m'assieds. Je vois Alex secouer la tête puis marcher de l'autre côté du bar et s'asseoir.

Vic et moi allons prendre les cafés. Maintenant jouez bien, Matt nous sourit.

Alex et moi sommes tous les deux assis en silence, sans même nous regarder.

N'est-ce pas agréable? Vic sourit alors qu'elle s'approche et place un café dans mes mains.

Alex et moi avons simplement roulé des yeux vers elle.

Alors alex, vic commence, je sais ce que tu fais mais qui est alex munro ?

Alex lève un sourcil, quoi ?

Eh bien, qu'aimez-vous faire, depuis combien de temps connaissez-vous Matt, avez-vous une petite amie ?

Eh bien, Matt et moi sommes amis depuis l'école. Pas de copine mais les offres ne manquent pas.

Je fais la grimace.

Problème ?

Je me tourne pour regarder le connard arrogant, pour moi non, pour les filles qui veulent s'impliquer avec toi, très probablement.

Harpiste ! Vic me lance un regard d'avertissement pour me comporter.

Il a demandé, je hausse les épaules.

Et toi harpiste ?

Avant que je puisse ouvrir la bouche pour répondre à Matt, Alex répond pour moi.

Ah c'est facile. C'est la petite princesse gâtée de papa, elle obtient tout ce qu'elle veut quand elle le veut. Je doute qu'elle ait un petit ami cependant, je ne peux pas imaginer que quelqu'un puisse supporter autant d'entretien.

Eh bien, si je ne savais pas ce qu'il pensait de moi avant, je le sais maintenant.

Vous n'en avez vraiment aucune idée, déclare la victime, agacée.

Dis-moi que je me trompe, Alex lui sourit.

Tu es tellement loin du compte que tu ferais aussi bien d'être sur une autre planète...

Vic, non. Il suffit de laisser.

Comme l'enfer je le ferai! Il ne sait rien de vous. Pourquoi tu le laisses dire ces choses ?

Vic et moi nous regardons. Ce n'est pas une conversation que j'ai devant Alex.

Serait-ce mal de ma part de te dire que tu m'excites en ce moment, Matt sourit alors qu'il se blottit contre le cou de la victime.

Vic rigole et se blottit contre lui. Je ne reste pas là pour les regarder les uns sur les autres.

Merci pour le café Matt mais je m'en vais, Vic, qu'est-ce que tu fais bébé ?

Je ne vais pas t'appeler pour venir me chercher et te laisser partir seule. Donnez-moi une minute, je vais récupérer mes affaires.

Matt et Vic se dirigent vers l'intérieur pour attraper ses affaires, nous laissant moi et le balai assis et attendre. Je peux sentir des yeux sur moi, alors je jette un coup d'œil et là, le bougre effronté me regarde de haut en bas. Je croise instinctivement les bras sur mes seins. Il a au moins la décence d'avoir l'air gêné quand il se rend compte qu'il s'est fait prendre.

Ok fille, c'est moi prêt. Je me retourne pour voir Matt la câliner par derrière et l'embrasser dans le cou.

Je souris à mon meilleur ami, tu es sûr de ça ?

Oui, elle rigole.

Alors, que faites-vous, mesdames, ce soir ?

La tête d'Alex se redresse et il fixe Matt.

Eh bien, ça dépend, à quoi pensiez-vous des trucs chauds ?

Je pensais à danser, à boire, peut-être finir la soirée ici ou chez toi, Matt sourit à Vic.

Qu'appelles-tu harpiste ?

Je regarde Vic et soupire, je lui dis de passer une bonne nuit.

Harpiste !

Ne me harcèle pas.

Vic se tourne vers Matt, je vais lui parler. À ce soir?

À ce soir magnifique, dit Matt avec un clin d'œil.

J'attends que les deux s'embrassent au revoir. Vic lie son bras au mien et nous commençons à nous éloigner. Nous sommes presque sortis du jardin quand nous entendons Alex...

Qu'est-ce que tu penses putain ?

Frère, tu dois te calmer.

Vic se contente de rire alors que nous nous dirigeons vers la voiture et que nous entrons.

Donc je suppose que c'était une bonne nuit, je lui souris et elle me sourit.

Bébé tu n'as aucune idée. C'est un gars vraiment sympa.

Dommage pour la compagnie qu'il garde, je gémis.

Je savais que vous ne vous aimiez pas mais vous voir tous les deux en action, eh bien c'est autre chose.

C'est lui le problème, pas moi !

Vic rigole, vous êtes aussi mauvais l'un que l'autre.

De quel côté êtes-vous ?

Votre bébé est toujours à vous, elle sourit et me tapote le genou.

Bien, dis-je en repoussant sa main.

Vous savez, il y a une ligne fine entre l'amour et la haine.

Victoria.

Je dis ça comme ça.

Bien!

Je lui jette un coup d'œil, arrête de sourire comme ça.

Je ne peux pas m'en empêcher, rigole-t-elle, alors tu viens ce soir ?

Je roule des yeux. Cette femme obtiendrait certainement un A pour l'effort.

Je ne pense pas que ce soit une bonne idée.

Quoi ? Pourquoi pas ? Elle hurle pratiquement.

Êtes-vous pour de vrai en ce moment? Étiez-vous assis dans un jardin différent du mien ?

Vic laisse échapper un souffle exagéré, d'accord, alors je n'y vais pas.

Ne sois pas stupide, sors et passe une bonne nuit avec Matt.

Je ne suis pas stupide. Si tu n'y vas pas, moi non plus, Vic croise les bras sur sa poitrine et s'enfonce dans son siège.

Je soupire, je sais exactement ce qu'elle fait en ce moment.

Je vais juste devoir expliquer à Matt que je l'aime vraiment vraiment beaucoup mais parce que nos meilleurs amis ne peuvent pas être civils les uns envers les autres...

Oui, le voyage de culpabilité.

Bien!

Désolé, qu'est-ce que c'était ? Elle chante pratiquement.

J'ai dit d'accord, j'irai avec vous.

Vic pousse un cri d'excitation et se penche pour m'embrasser sur la joue.

Merci merci merci! Oh mon dieu, nous devons faire du shopping.

Après de nombreuses heures de shopping, une bouteille de vin et un autre plat à emporter, nous sommes douchés, habillés et prêts à partir.

Regarde-toi chérie, essaies-tu d'attirer l'attention de quelqu'un ce soir ? Vic me siffle et je lui fais une pirouette.

Si par quelqu'un vous entendez un gars au hasard qui est prêt à m'acheter des boissons, à m'écraser sur la piste de danse puis à me ramener à la maison pour une bonne nuit, alors la réponse est oui.

Mmm hmm, bien voir.

Nous arrivons au club et nous dirigeons immédiatement vers le bar. Un délicieux barman aux cheveux noirs et aux yeux bruns brûlants vient prendre notre commande.

Puis-je avoir un jd et un coca light et une vodka et un soda s'il vous plaît, dis-je d'un ton coquette.

Le barman sourit poliment et je le regarde attentivement pendant qu'il prépare nos boissons. Il s'assure d'effleurer mes doigts avec les siens tout en me tendant nos boissons.

Ok, je les ai repérés, allons-y, Vic m'attrape par le bras et commence à me tirer du rez-de-chaussée vers l'autre côté.

Youpi.

Tenez-vous bien, m'avertit-elle avec espièglerie.

Nous nous dirigeons vers les gars et Matt se lève immédiatement et se dirige vers la victime, la saluant avec sa langue dans sa gorge. Ne voulant pas les regarder, je détourne le regard et remarque qu'Alex me fixe. A la seconde où il me voit regarder, il se détourne. Je dois admettre qu'il a l'air plutôt pointu ce soir, c'est dommage que son intérieur ne corresponde pas à son extérieur.

Harper, content que tu aies pu venir, Matt me sourit.

Tout était dû à Vic et à ses talents de déclencheur de culpabilité. Je ne veux pas qu'il pense que je voulais vraiment venir.

Après un moment de conversation gênante, je m'excuse et retourne au bar. Je repousse des coups quand un mec plutôt beau s'approche de moi.

S'il vous plaît, dites-moi que vous n'êtes pas ici en train de boire tout seul ?

Je le regarde de haut en bas puis lui souris, non, mon amie est ici quelque part, elle commence à connaître quelqu'un.

Et vous, vous connaissez quelqu'un ?

Offrez-vous?

Le gars me sourit, me donnant des papillons, définitivement.

Un bon bout de temps passe et je suis sur la piste de danse avec comment il s'appelle quand la victime arrive et elle n'a pas l'air contente.

Harpiste ! Qu'est ce qui ne vas pas chez toi?

De quoi parles-tu?

Je regarde Vic avec les sourcils froncés mais ce mec est clairement ivre et devient bâclé, essayant de passer ses mains sur moi.

Vic pointe vers le hasard im dansant avec lui? Vraiment?

Pourquoi pas?

Vic lui fait la grimace et je regarde ce type par-dessus mon épaule. Ses yeux sont vitreux et je suis surpris qu'il soit toujours debout.

Ok alors peut-être qu'il ne tiendra pas la distance mais on s'amusait avant que l'alcool ne l'atteigne, je rigole.

Vous avez prouvé votre point ok, revenons à la table.

Vic attrape ma main et essaie de me tirer avec elle mais je la retire.

Harpiste !

Je ne veux pas retourner à table, je suis heureux ici.

J'ai peut-être parlé trop tôt. Un gars au hasard ivre et bâclé semble avoir oublié que nous sommes sur une piste de danse bondée et essaie de retirer ma robe de mon épaule.

Woah là mon pote ! Je repousse sa main.

Aww allez, tu m'as taquiné toute la nuit. Tu sais que tu le veux.

Pas au milieu de la piste de danse, je ne le fais pas ! lui ai-je crié.

Juste à ce moment-là, je vois Matt venir vers nous. Il n'a pas l'air très content quand il regarde M. Random placer ses mains sur moi.

Est-ce que tout va bien ici ? Matt me demande directement.

Qu'est-ce que t'as mec ? M. Random lui répond.

Ce n'est pas le cas actuellement. La dernière chose dont j'ai besoin est une scène.

Matt lève les sourcils au gars au hasard, je pense que tu devrais peut-être partir.

Qui diable se prend-il pour lui ? Je regarde Victoria et elle semble être d'accord avec moi en accord. Visiblement, personne n'a pensé à me demander ce que je voulais. Mon entêtement prend le dessus.

Allez... Quel que soit votre nom. Avaient quitté!

Le mec se referme derrière moi et passe ses bras autour de ma taille, c'est plutôt ça.

Vic bloque mon chemin, tu ne pars pas avec lui.

Je suis.

Je pense que tu devrais écouter vic, dit sévèrement Matt.

Je suis une femme adulte, je peux faire ce que je veux !

Juste à ce moment-là, M. Drunkard essaie de me défendre et échoue épiquement. Il essaie de se mettre devant moi mais tire sur le devant de ma robe, la déchirant et exposant un de mes seins et m'envoyant au sol en même temps.

Arf, merde !

Alors que mon cul touche le sol, Alex apparaît de nulle part et frappe le gars au visage.

Alex !

Alex le frappe à nouveau et va le frapper une troisième fois quand Matt le tire en arrière. Mr Random se tient le nez crevé et me lance un regard noir.

Vous êtes tous fous. Aucune chatte ne vaut autant de tracas !

Sur ce, il s'en va. Je suis toujours au sol essayant désespérément de me couvrir, ce qui, à cause de la déchirure de ma robe, est une tâche difficile. Vic vient vers moi en courant et essaie de m'aider.

Est-ce que tu vas bien?

Es-tu content maintenant? Je lui crie dessus en la repoussant.

Quoi?

Je me suis relevé du sol, pourquoi avez-vous dû venir en trombe ici comme ça ?

J'essayais de t'empêcher de faire quelque chose de stupide !

La seule chose stupide que j'ai faite a été d'accepter de venir ici ce soir !

Vic halète, tu ne veux pas dire ça.

N'est-ce pas? Tu m'as fait culpabiliser alors je viendrais avec toi ce soir. Pourquoi? Je ne sais pas parce que vous vous êtes occupés l'un de l'autre alors que je me suis retrouvé avec quelqu'un qui ne supporte manifestement pas de me voir et que vous ne connaissez que trop bien. Ensuite, quand je vais vraiment m'amuser, tu valses en me disant ce que je peux et ne peux pas faire, en faisant intervenir des hoddit et des doddit et en provoquant une scène ! Je prends quelques respirations profondes, essayant de me calmer.

J'ai juste pensé...

Ne le faites pas ! J'en ai assez entendu. Profitez du reste de votre nuit.

J'utilise ma pochette pour dissimuler le dysfonctionnement de ma garde-robe et commencer à sortir du club. J'entends Vic m'appeler mais je l'ignore, j'ai juste besoin de sortir d'ici.

Je me demande si je dois commander un uber ou faire signe à un taxi quand quelqu'un m'attrape par le bras et me tire dans l'allée.

Qu'est-ce que le...

Je suis poussé contre le mur et mon instinct s'enclenche alors que je commence à riposter. Il est fort et il agrippe mes bras au-dessus de ma tête. Je me rends compte que je ne sais même pas qui est cette personne, j'ai eu les yeux fermés tout le temps. J'ouvre lentement les yeux en me préparant au visage de mon agresseur.

Toi !

Chapitre 4

Je regarde dans les yeux d'Alex alors qu'il garde mes bras au-dessus de ma tête.

Quel est votre harpeur de jeu ?

Pas encore ça.

Moi! C'est toi qui m'as traîné dans une ruelle et qui m'a plaqué contre un mur !

Alex me regarde de haut en bas et il n'est pas discret non plus. Il se concentre sur mon mamelon exposé et je suis surprise de constater qu'il ne me met pas mal à l'aise, bien au contraire.

Ton ami pense que tu essayais de me rendre jaloux, il me sourit.

C'est ce qu'elle t'a dit ?

Je vais la tuer.

Je l'ai entendu parler avec Matt.

Je roule des yeux et il me serre un peu plus fort. Au lieu de me battre contre lui, je serre mes cuisses l'une contre l'autre, je suis massivement excité en ce moment... Ça doit être l'alcool.

Ce que je ne comprends pas, c'est pourquoi essaierais-tu de me rendre jaloux si tu me détestes ? Ses yeux plongent profondément dans les miens.

Un, je n'essayais pas de te rendre jaloux, je cherchais du bon temps et deux, je ne te déteste pas, je ne te connais pas putain ! C'est toi qui a le problème, pas moi !

Alex se moque, ne fais pas semblant de ne pas connaître mon problème.

Je ne prétends pas être un connard, honnêtement, je ne sais pas.

Nous ne pouvons pas faire cela.

Je fronce les sourcils, faire quoi ?

Il se penche plus près de moi, ce qui me fait haleter.

Tu es un problème, grogne-t-il.

Pfft si tu le dis.

Ses lèvres planent sur les miennes toujours si près. Mon esprit est dans un tourbillon, va-t-il m'embrasser ? Est-ce que je veux qu'il m'embrasse ? Puis, juste comme ça, il s'éloigne de moi et quitte la ruelle.

Tellement content que nous ayons pu avoir cette conversation ! Je crie après lui mais il est déjà parti.

Tête de bite. Je marmonne alors que j'essaie à nouveau de me trier et de me diriger vers la file d'attente des taxis. Heureusement, un gentil couple a remarqué mes problèmes de garde-robe et m'a laissé les devancer.

Je réussis à entrer dans la maison et à monter dans ma chambre sans que mon père ne me voie. Je ne suis vraiment pas d'humeur à expliquer pourquoi mon sein traîne. Je saute dans une douche rapide et me mets à l'aise dans mon lit en repensant à ce qui s'est passé dans la ruelle.

Le visage d'Alex est la dernière chose à laquelle je pense avant de m'endormir.

Le week-end est terminé et j'ai déjà eu une matinée bien remplie. J'ai dû me lever tôt car j'avais besoin de prendre un vol, j'assistais à une conférence d'affaires à l'extérieur de la ville à laquelle mon cher vieux père m'avait inscrit.

Quelques heures et un vol plus tard et je m'installe dans ma chambre d'hôtel. Il y a une rencontre et un accueil plus tard cet après-midi, suivi d'un repas, alors j'espère utiliser ce temps pour me détendre.

Mon téléphone sonne et sans regarder je réponds.

Appel téléphonique - harper : bonjour harper henderson parlant

appel téléphonique -victoria : enfin !

Appel téléphonique - harper : qu'est-ce que tu veux vic ?

Après l'excitation du samedi soir, j'ai passé la journée d'hier à me détendre au bord de notre piscine. Vic a essayé d'appeler plusieurs fois mais je n'étais pas d'humeur à lui parler. Pour la première fois de notre amitié, le hangar m'a vraiment mis en colère.

Appel téléphonique - Victoria : tu es vraiment énervée contre moi hein

appel téléphonique - harper : oui, je le suis. Tu veux me dire de quoi il s'agissait l'autre soir ?

Appel téléphonique - victoria : j'ai vu la façon dont ce type te regardait, il pensait qu'il rentrait à la maison avec toi

appel téléphonique - harper : c'était le plan

appel téléphonique - victoria : attendez, quoi ?

Appel téléphonique - harper : j'avais l'intention de rentrer chez lui avec lui vic

appel téléphonique - victoria : allez c'est à moi que tu parles. On sait tous les deux que tu dansais avec lui uniquement pour rendre Alex jaloux.

Appel téléphonique - harper : et pourquoi ferais-je cela ?

Appel téléphonique - victoria : parce que vous êtes très amoureux l'un de l'autre, mais vous êtes tous les deux trop têtus pour y faire quoi que ce soit.

Appel téléphonique - harper : vic quelle partie de moi il me déteste ne comprends-tu pas ?

Appel téléphonique - Victoria : Matt ne pense pas qu'il te déteste

appel téléphonique - harper : bon pour mat

appel téléphonique - victoria : harper !

Appel téléphonique - Harper : aucune victime ne me harpe. Il a un problème avec moi, il l'a même dit lui-même

appel téléphonique - victoria : quand ?

Appel téléphonique - harper : il m'a tiré dans une ruelle après que j'aie quitté le club.

Appel téléphonique - Victoria : je le savais ! Alors, qu'est-ce-qu'il s'est passé?

Appel téléphonique - harper : rien ne s'est passé. Il t'a entendu parler et m'a demandé pourquoi j'essayais de le rendre jaloux. Je lui ai dit que je ne l'étais pas et il a dit que je devrais savoir pourquoi il a un problème avec moi.

Appel téléphonique - Victoria : eh bien, ça n'a pas de sens

appel téléphonique - harper : pourquoi ?

Appel téléphonique - Victoria : parce que Matt a dit...

Appel téléphonique - harper : pour l'amour de victoria. Je ne sais pas où vous étiez tous les deux, mais aucun de nous n'a eu un mot gentil à se dire. Il ne m'aime pas et ça me va. Allez-vous tous les deux arrêter d'aggraver les choses.

Appel téléphonique - victoria : je suis désolé, harper, je n'avais pas réalisé

appel téléphonique - harper : non bébé tu n'as pas écouté. C'est déjà assez grave que mon père soit comme ça mais tu m'as toujours écouté.

Appel téléphonique - victoria : je suis désolé chéri. je suis vraiment

appel téléphonique - harper : écoute, oublions-le d'accord. Je te verrai quand je rentrerai.

Appel téléphonique - Victoria : où diable es-tu ?

Appel téléphonique - harper : cette stupide conférence d'affaires à laquelle mon père m'a inscrit

appel téléphonique - victoria : oh... Ohhh

appel téléphonique - harper : quoi ?

Appel téléphonique - Victoria : non. Rien

appel téléphonique - harper: vic...

Appel téléphonique - Victoria : je dois y aller, amusez-vous !

Je me débarrasse de la fin étrange et abrupte de notre appel téléphonique et me prépare pour ce soir.

Je suis une femme d'affaires et j'ai besoin que les gens ici me prennent au sérieux en tant que telle, donc même si c'est une rencontre et un accueil, je ne vais pas exagérer avec ma tenue. Je m'installe sur un jean skinny noir associé à un blazer noir sans manches, complétant l'ensemble avec mes escarpins nude bien sûr.

Je descends dans le hall où on me donne un badge et on me montre la salle de banquet. Je me tiens devant les grandes doubles portes et prends une profonde inspiration avant d'entrer.

Putain de merde !

Il y a des tas d'hommes et de femmes qui discutent et rient avec des verres à la main. Je remarque que pas mal de femmes ont décidé de sortir le grand jeu avec les tenues et maintenant je me demande si j'ai fait le bon choix de garde-robe.

Je ne reste pas longtemps dans mes pensées car quelques gars m'approchent et nous commençons à parler de nos entreprises et un peu de nous-mêmes.

L'orateur annonce que le dîner va être servi, alors je dis au revoir et pars à la recherche de la table qui a ma carte de visite. Je souris quand je le trouve enfin et salue ceux qui sont déjà là. Il y a trois autres jeunes femmes à table, toutes très belles et trois hommes tout aussi beaux. Je regarde le porte-nom du siège vide à côté de moi.

Dis moi que c'est une blague!

Mon explosion fait que tout le monde lève les yeux de la table. Je suis sur le point de m'excuser lorsque notre invité manquant arrive derrière moi et prend place à table.

Est-ce une farce? Alex me demande directement.

Je recule intérieurement en sentant tous les regards sur nous.

Vous vous connaissez tous les deux ? demande une des dames.

Malheureusement, Alex répond brusquement.

L'échange de table ressemble. La femme qui nous a posé la question semble plutôt contente que nous ne soyons pas en bons termes. Restez harpiste professionnel, restez professionnel.

Nous sommes concurrents, je précise pour tout le monde.

Rien de mal à un peu de compétition, rigole l'un des gars.

Nous profitons d'un beau repas à trois plats et chacun se présente à tour de rôle. Je ne fais pas vraiment attention à ce qu'ils disent, je ne voulais pas venir ici en premier lieu et maintenant je découvre que je dois passer les deux prochains jours avec cet âne.

Salut je suis...

Alex Munro, héritier de l'entreprise Munro. Playboy de 24 ans qui travaille dur et baise plus fort, la femme de tout à l'heure, répond pour lui tout en ayant l'air fière d'elle.

J'ai recraché mon verre, excuses, je pouah, je ne m'attendais pas à ça.

Je ne pense pas qu'aucun d'entre nous l'ait été, rit l'un des gars, quelqu'un a fait ses recherches.

Est-ce vraiment de la recherche si c'est quelque chose qui vous intéresse?

Oh mon!

Tout le monde continue à se connaître tout au long du dîner. Ils parlent de leurs plans d'affaires et de ce qu'ils cherchent à réaliser grâce à cette conférence. Je souris et hoche la tête, ne parlant que lorsqu'on me pose une question. La femme qui avait fait ses recherches sur Alex flirte de manière flagrante avec lui avec la femme assise à côté d'elle. Cela semble se transformer en une compétition entre eux deux pour voir qui peut mettre son pantalon en premier. Bien sûr, Alex capte l'attention.

Je peux voir une bagarre de chats éclater, murmure le gars à ma gauche.

Hein?

Entre ces deux-là, il désigne les femmes qui flirtent avec alex

J'espère sérieusement que non, je murmure en retour. Je ne porte pas les bonnes chaussures pour le casser.

Il rit, essayant de se taire, maintenant que j'aimerais le voir.

Je lui adresse un faible sourire en retour avant de prendre une gorgée de mon vin.

Vous n'appréciez pas ça, n'est-ce pas ?

Je lève rapidement les yeux vers lui, qu'est-ce qui te fait dire ça ?

Eh bien, vous avez à peine dit un mot et vous avez un regard qui dit que vous préféreriez être n'importe où mais ici.

Bon sang, je pensais que je faisais du bon travail en n'attirant pas l'attention sur moi.

Je suis désolé, je suis grossier n'est-ce pas. Ce n'est vraiment rien de personnel envers qui que ce soit. J'ai laissé échapper un soupir, avez-vous déjà eu le sentiment que l'univers a décidé de vous foutre en l'air ?

Si mauvais?

Si je prends du recul et que j'y pense vraiment, l'univers n'a probablement chié que dans mon allée. C'est juste que je ne semble pas faire de pause en ce moment. C'est probablement pire que ça ne l'est vraiment.

Le gars rigole, tu as l'air d'avoir une bonne tête sur les épaules, je suis sûr que tu vas t'en sortir. En attendant, je suis un très bon auditeur si vous voulez parler.

Merci... Je regarde rapidement son porte-nom, christian, j'apprécie ça.

Une fois le dîner terminé, nous retournons nous mêler aux autres participants à la conférence. Je rencontre quelques personnes intéressantes mais je ne peux pas m'empêcher d'avoir l'impression d'être observé. Je regarde autour de moi et je vois Alex qui me regarde. Il est entouré de femmes qui le flattent, y compris les deux de notre table.

On dirait que quelqu'un a un ventilateur.

Je me retourne et souris alors que Christian s'approche de moi.

Vous ne voulez pas dire fan club ? Je souris.

Je ne parlais pas de lui, dit-il en me faisant un clin d'œil.

Je me retourne pour regarder Alex et vois qu'il me regarde toujours, seulement maintenant il n'a pas l'air très content. Je ne veux pas une répétition du week-end.

Je pense que je pourrais appeler ça une nuit.

Déjà? Christian lève un sourcil vers moi.

Ouais, ça a été une longue journée à voyager et à rencontrer des gens. Je pourrais profiter d'un bon sommeil en préparation pour demain.

Eh bien j'ai hâte de te voir au petit déjeuner, il me sourit.

chrétien de nuit.

Nuit.

Je me dirige vers l'ascenseur et j'attends. Pendant que je suis là, je sens les poils de ma nuque se dresser. Je peux sentir une présence et bien qu'elle ne semble pas menaçante, je ne vais pas baisser ma garde. Les portes de l'ascenseur s'ouvrent et avant que je puisse bouger, je sens une main dans le bas de mon dos me pousser doucement vers l'avant.

Les portes se ferment avant même que j'aie eu la chance de me retourner et je suis fermement appuyé contre le mur du fond. Je peux sentir la fermeté de son corps contre mon dos tandis que la fermeté d'un autre appendice se presse dans mon cul. Ses lèvres effleurent mon cou avant d'atteindre mon lobe d'oreille.

Que faites-vous ici ? Il demande.

Sa voix est basse mais exigeante et ça me donne le bon genre de frissons... Merde

Mon père m'a inscrit il y a des mois.

Tu aurais dû dire que tu serais ici.

J'essaie de me retourner mais il me presse plus fort, sa prise sur mes hanches se resserrant.

Dis-moi Alex, quel aurait été le bon moment pour te le dire ? Entre nos disputes, quand tu m'as coincé dans l'allée ou que diriez-vous de ne jamais considérer que ça ne te regarde pas.

Nous devons rester éloignés les uns des autres, dit-il fermement.

Je suis d'accord.

Est-ce que je le pense ? Nous avons fait un sacré boulot en restant loin l'un de l'autre ces quatre derniers jours.

Tu dois partir, me dit-il.

Arrêtez le bus ! Enfer non ! Je pousse fort contre lui et me tourne pour lui faire face.

Je ne pars pas!

Harpiste...

Non! Si tu ne peux pas le supporter Alex, si tu ne peux pas être civil alors tu pars mais je ne vais nulle part !

Sa bouche se retrousse d'agacement, tu es tellement exaspérante !

Je suis sûr que l'un de vos nombreux admirateurs peut vous distraire, je lui souris mais cela ne fait que le faire hausser les sourcils.

T'es jaloux ?

Pfft s'il vous plait.

Les portes de l'ascenseur s'ouvrent et je lui adresse mon plus beau sourire sarcastique.

Oh regarde c'est mon étage, bouge !

Il me sourit alors que je me faufile devant lui, harpiste de beaux rêves.

Alors que je m'éloigne, je lui passe le majeur par-dessus mon épaule. Je l'entends rire alors que les portes de l'ascenseur se referment. Urgh, il est tellement frustrant et même si je déteste l'admettre, notre échange d'ascenseur m'a blessé. Je rentre dans ma chambre, me déshabille rapidement et me mets au lit. Tout ce à quoi je peux penser, c'est comment il se sentait pressé contre moi, la sensation de ses lèvres alors qu'elles effleuraient mon cou. Le battement entre mes jambes s'intensifie. J'ai besoin de soulagement. Je baisse la main et me mords la lèvre d'anticipation.

Non! Je ne lui cède pas. Je dois rester fort. Je ne le laisserai pas gagner !

Chapitre 5

J'ai tourné et tourné toute la nuit. Je n'arrivais pas à sortir le connard de ma tête mais j'étais trop têtu pour en effacer un rien qu'en pensant à lui. Me voilà donc en train de me préparer pour une conférence à laquelle je ne veux pas assister tant que je suis fatiguée et sexuellement frustrée.

Je me regarde une dernière fois dans le miroir en m'assurant que je suis couverte et que mes chaussures sont au bon pied.

En quittant ma chambre, j'entends sa voix...

Hé, comment ça va ?

Je jette un coup d'œil à ma porte et vois qu'il part de la pièce voisine. On dirait qu'il est en communication.

Merde

il a dû m'entendre car il commence à se retourner et je dois rapidement fermer ma porte avant qu'il ne me voie.

Ce n'est pas bien.

Troublé, j'ai décidé de commander un service d'étage pour le petit déjeuner pour lui donner une large couchette. Je sors mon téléphone en attendant que ma nourriture arrive.

Harper : Saviez-vous qu'il était ici ? Xx

victoria : je plaide le cinquième xx

Harper : Vraiment ? Xx

victoria : je n'étais pas sûre que c'était la même conférence bébé xx

harper: je te déteste en ce moment xx

victoria : Vous pensez que oui ? *émoticône clin d'oeil* xx

harper : lol je dois y aller bébé. Parlez plus tard xx

victoria : montre-leur ce que tu es fait de ma chérie xx

Après avoir pris le petit-déjeuner et envoyé un texto à la victime, je me sens enfin prêt à affronter ce spectacle de merde. Je me dirige vers le hall principal où je reçois un pack de bienvenue, puis me dirige vers la salle de conférence.

Morning Harper, Christian sourit alors que je m'approche de lui.

Matin.

Tu m'as manqué au petit déjeuner.

Désolé pour ça, j'ai eu une nuit difficile alors je voulais entrer dans la zone avant de descendre, lui ai-je dit.

Christian sourit, l'univers redevient un connard ?

Quelque chose comme ça, je ris.

Nous nous asseyons près du fond et je commence à feuilleter le pack de bienvenue. Lorsque l'orateur sort, je lève les yeux et de l'autre côté de la pièce, je vois Alex assis entre les deux dames de notre table hier soir.

Bonjour à tous, commence l'orateur. Merci beaucoup d'avoir participé à la série de séminaires de cette année...

Est-ce qu'elle vient de dire série ?

Il y a six séminaires, chacun d'une durée de deux jours. Les dates, bien que vous les ayez reçues lors de votre inscription, se trouvent dans votre pack de bienvenue...

je vais le tuer ! Je t'ai inscrit pour une conférence de deux jours chérie, ce sera super, dit-il. Aura fière allure sur votre portefeuille, dit-il. Branleur, il l'est !

L'objectif des séminaires est de vous fournir les outils nécessaires pour assurer le succès de votre propre entreprise. Certains d'entre vous ici ne font que commencer et d'autres cherchent des moyens de se développer. J'espère que vous avez tous apprécié la rencontre d'hier soir, en particulier avec ceux avec qui vous étiez assis pendant le dîner. Ces personnes seront dans votre groupe pendant toute la durée des séminaires. Aujourd'hui, chaque groupe recevra un produit et vous avez jusqu'à demain pour créer un plan d'affaires sur la façon d'en faire un best-seller. Bonne chance.

Tout le monde applaudit lorsque l'orateur s'éloigne pendant que je reste assis ici, stupéfait.

Christian se penche sur moi, je ne sais pas ce que tu as fait pour énerver l'univers mais ça t'intéresse vraiment en ce moment.

Je regarde Christian et le vois sourire, je ne peux pas m'empêcher de rire.

Êtes-vous prêt à rejoindre notre groupe ? Il m'a demandé.

Ceci a un désastre épique écrit partout, je gémis.

C'est l'idée!

Il me tend la main et je la lui donne, le laissant me conduire à notre groupe. Alex lève les yeux de la table et remarque que nous nous tenons la main, il nous fixe un instant avant de baisser les yeux.

Re-bonjour à tous, christian salue le groupe, vous vous souvenez tous de harper.

Tout le monde dit bonjour sauf les deux femmes d'hier soir, que je connais maintenant s'appellent stella et tina. Ils s'assoient en me regardant de travers et Alex ne prend même pas la peine de relever la tête.

Je me déplace pour m'asseoir mais Christian s'y glisse rapidement avant moi, laissant la seule chaise restante à celle en face d'Alex. Je regarde Christian qui se contente de me faire un clin d'œil.

À quoi tu joues? Je chuchote à Christian.

Je t'aide à en coller un à l'univers, me sourit-il.

Je ne peux pas m'empêcher de rire, ce qui me vaut un regard noir d'Alex. Cela va être une très longue journée.

Le produit qu'on nous a donné de promouvoir est une crème pour le visage qui excite immédiatement Stella.

C'est mon domaine d'expertise, je pense que je devrais prendre les devants, annonce Stella et la majorité de la table acquiesce.

Nous sommes quelques heures dans le projet et Stella a pris le contrôle total sur tout. Chaque fois que quelqu'un fait une suggestion, elle l'abat à moins bien sûr que ce ne soit d'Alex.

Bon, je pense que nous sommes tous triés, dit joyeusement Stella.

Harper vous avez été très calme, avez-vous des pensées ? Christian me demande.

Je lui souris, je ne pense vraiment pas que tu veuilles les entendre.

Tu as raison, je ne sais pas, intervient Stella. Que sauriez-vous de l'industrie de la beauté de toute façon ?

Je veux les entendre.

Je lève la tête si vite que je me donne presque un coup de fouet. Alex me sourit de l'autre côté de la table.

Quoi ? Pourquoi ? Stella lui hurle dessus.

Oh allez Stella, quel mal y a-t-il à entendre ce qu'elle pense ? Comme tu l'as dit, elle ne sait pas de quoi elle parle de toute façon.

Il me fixe, je jure qu'il essaie de me décourager mais je ne le laisserai pas faire.

Assez juste, je hausse les épaules. Je pense que si nous allons de l'avant avec ce plan, nous nous exposons à l'échec.

Maintenant, attendez une minute...

Pourquoi ? demande Alex, interrompant Stella juste au moment où elle cherchait à se préparer pour une raclée verbale.

Alex !

Non, je veux entendre ça aussi, christian sourit.

Je regarde directement stella, votre groupe cible est trop petit...

Attendez...

Laissez-la finir. Alex dit sévèrement alors qu'il interrompt à nouveau Stella.

Les yeux de Stella grossissent pour doubler leur taille d'origine et sa bouche s'ouvre.

Allez harper, Alex me sourit.

Cette proposition ne vise qu'à attirer les femmes âgées de 20 à 40 ans. Vous facturez une tranche d'âge allant de l'étudiante à la femme au foyer en passant par la femme de carrière une fortune pour un produit qu'elle peut obtenir moins cher ailleurs. À ce rythme, vous subiriez une perte monétaire en raison de la publicité et du manque de ventes.

La table hoche la tête en accord avec ma déclaration.

Que suggérerais-tu? Alex me demande avec son sourire arrogant.

Je lui lançai un regard noir avant de me retourner vers Stella, il y avait beaucoup de bonnes suggestions autour de la table. Premièrement, nous devons baisser le prix du produit, le rendre abordable pour tout le monde. Cela augmentera immédiatement les ventes. Deuxièmement, nous devons élargir le groupe cible aux hommes et aux femmes de tous âges. Nous pourrions soit faire un emballage non sexiste, soit en faire un pour les femmes et un pour les hommes.

Tina hausse les sourcils, les hommes ?

Oui. Il y a beaucoup plus d'hommes qui utilisent des produits pour le visage aujourd'hui, pourquoi ne pas en profiter ?

C'est ridicule! Stella se moque.

J'aime ça, Christian hausse les épaules avec un sourire.

La publicité n'a pas besoin d'être aussi dramatique non plus, je continue. Commencez avec des échantillons et vendez-les dans les centres commerciaux. Cela fera passer le mot et générera des commentaires qui pourront être utilisés lorsque nous aurons le capital pour faire de la publicité en grand.

Tout le monde à la table semble s'être ragaillardi avec ce que je dis. Je regarde Alex et il me fait son sourire effronté.

On n'a pas le temps de tout refaire, souffle Stella.

Si nous nous associons et nous concentrons sur une action chacun, nous pouvons l'accomplir, Christian suggère de contorsionner le visage de Stella et de le rendre rouge.

Vous ne pouvez pas être sérieux ? Elle crie sur Christian.

À quoi ça sert? demande Tina et je m'abstiens de répondre avec sarcasme.

Eh bien, allons voter, sourit Alex. Ceux qui sont en faveur de faire équipe par paires et de travailler sur la nouvelle proposition lèvent la main.

Tout le monde lève la main sauf Stella et Tina

Vraiment Alex ? Stella le fixe tandis que je fais ce que je peux pour réprimer mon rire.

On dirait que nous sommes jumelés, christian sourit.

Stella fait la grimace à Christian et moi, très bien ! Je fais équipe avec alex.

Non, tu serais mieux avec Tina, dit Christian en l'abattant. Alex et Harper peuvent faire équipe.

Quoi! Alex, Stella et moi crions tous à l'unisson.

Eh bien, c'est logique. Stella et Tina ont toutes les deux la même expertise et Harper et Alex doivent apprendre à bien jouer ensemble, explique Christian et tout le monde à la table acquiesce.

Des connards... Beaucoup d'entre eux.

Très bien, alex souffle. Finissons-en avec ça.

Je me penche pour chuchoter à Christian, tu n'es plus mon ami.

Christian rigole, crois-moi, je sais ce que je fais. Il m'a fait un clin d'œil avant de se retourner vers la table, ok donc partons par paires et revenons demain avec chacun de nos devoirs pour qu'on puisse tout assembler.

Nous ne restons pas ici ? Stella lui hurle dessus.

Eh bien, tu peux rester ici si tu veux, mais nous avons déjà perdu la moitié de la journée et je ne veux pas être distrait par le travail des autres. Sarah, Patrick et Malcolm se lèvent et s'éloignent avec Christian, laissant Stella, Tina, Alex et moi à table.

Je suis sûr que nous pourrions tous très bien travailler ici, dit Tina en déshabillant Alex des yeux.

Je roule des yeux, d'accord, je vous laisse tous faire.

Je me lève de mon siège et commence à rassembler mes affaires.

Où vas-tu? Alex m'aboie dessus.

Pour travailler sur le devoir.

Nous sommes censés être partenaires !

Je ne suis pas assis à vous regarder tous les trois avoir un festival de flirt, dis-je en agitant mon doigt entre eux trois. C'est bon, je vais y travailler moi-même.

Stella et Tina sont assises avec des sourires arrogants sur leurs visages, ravies d'avoir Alex pour elles toutes seules.

Et laissez-vous prendre tout le crédit, aucune chance ! Allez alors allons-y ! Alex se lève et attrape sa veste sur la chaise. Les visages de Stella et de Tina tombent dans la déception alors qu'ils regardent Alex s'éloigner.

Alors, où allons-nous? je lui demande en marchant rapidement pour le rattraper.

Ma chambre.

Je m'arrête net dans le couloir.

Pas une chance dans cette vie !

Alex s'arrête et soupire avant de se retourner pour me faire face, ok alors, ta chambre.

Je ne te laisse pas entrer dans ma chambre !

Eh bien, où harper? Vous venez avec quelque chose! Alex hurle d'exaspération.

Je dois y réfléchir attentivement. Je ne veux pas de lui dans ma chambre, absolument pas et si nous allons vers lui alors nous serons sur son territoire et je ne lui donne pas le dessus ici. Je ne connais pas encore assez bien ce motel pour savoir s'il y a des salles de sous-commission et si oui s'il s'agit simplement d'une réservation auprès de la réception ou des organisateurs de séminaires. Alex commence à taper du pied et la dernière chose avec laquelle je peux être énervé est une autre dispute. Je baisse les épaules et laisse échapper un soupir.

Très bien, nous pouvons aller dans votre chambre.

Génial, on peut commander le room service si on a faim, me sourit-il.

Finissons-en, d'accord, soufflai-je en passant devant lui vers les ascenseurs.

Nous prenons l'ascenseur en silence et nous dirigeons vers sa chambre. Je n'arrive toujours pas à croire que c'est à côté de la mienne et je préférerais qu'il ne le sache pas.

Alex ouvre la porte et à ma grande surprise me fait signe d'entrer devant lui. Une fois à l'intérieur je scanne rapidement la pièce et je suis agréablement surpris de voir que l'endroit est plutôt bien rangé. Pas comme ma chambre qui a actuellement des soutiens-gorge suspendus au-dessus des chaises et un tas de produits de maquillage couvrant le dressing.

Installez-vous confortablement, je vais juste courir aux toilettes.

Je m'assieds à table et sors tout ce dont j'ai besoin de mon fourre-tout. J'entends la porte de la salle de bain s'ouvrir et lève les yeux pour voir Alex émerger, il a enlevé sa cravate et ouvert les deux boutons du haut de sa chemise.

Je me racle la gorge pour ne pas m'étouffer avec ma bave, es-tu prêt ?

Bien sûr, faisons ceci.

Nous nous sommes assis pendant quelques heures à tout débattre. Étonnamment, nous travaillons très bien ensemble. C'est comme si nous avions oublié tout le mauvais sang et que nous étions perdus dans ce que nous faisons de mieux.

Ok donc je pense que c'est ça, je souris en m'asseyant et en regardant notre produit fini.

Alex se lève de son siège et vient se placer derrière moi. Il se dirige vers la table puis hésite avant de me regarder, puis-je ?

Bien sûr.

Il se penche très près de moi alors qu'il fait quelques changements mineurs pour raffermir ce que nous avons. Son odeur est enivrante. Il arrête ce qu'il est en train de faire et tourne légèrement la tête pour me regarder et nous nous regardons dans les yeux avec une telle chaleur et une telle intensité que je dois croiser les jambes.

Est-ce que ça va?

Hein?

Alex montre le tableau, le diagramme.

Il est si proche de moi en ce moment. Je peux sentir son souffle contre ma peau et la panique s'installe.

Je me lève rapidement, ouais c'est bon. Je me bouscule pour mes affaires, essayant de les mettre dans mon satané sac. Euh... Je devrais y aller.

Alex passe sa main dans ses cheveux, euh ouais, bien sûr.

Oh merde.

D'accord.

D'accord.

Je rassemble maladroitement mes dernières affaires et je me dirige rapidement vers la porte avec Alex sur mes talons.

Alors euh... A demain ?

Oui, je réponds brusquement, espérant ne pas avoir l'air plus énervé que je ne l'ai déjà fait.

Oh mon dieu, il est juste debout à sa porte. Je dois sortir d'ici, je vais ressembler à un fou si je ne bouge pas d'ici.

Au revoir, dis-je en lui faisant un signe de la main maladroit.

Au revoir.

Merde!

Merde, merde, merde merde !

Je fais les trois marches qu'il faut pour arriver à ma porte et sors ma carte-clé de mon sac. Je jette un coup d'œil à Alex pour voir ses sourcils se lever de surprise. Je ne peux pas entrer assez vite par la foutue porte. Une fois fermé, je m'appuie dessus et me cogne la tête en arrière plusieurs fois.

Qu'est-ce qui se passe ?

Je me débarrasse rapidement de ma tenue et de mes sous-vêtements qui sont maintenant trempés et j'enfile mon peignoir avant de me verser un très grand verre de vin.

Putain !

Je m'installe sur le lit et pense à alex. Je pense à son sourire effronté et à son attitude arrogante. Je pense à quel point il est sexy avec sa chemise déboutonnée. Je pense à ce qu'il m'a fait ressentir alors qu'il se penchait vers moi cet après-midi et à la façon dont il s'est pressé contre moi dans l'ascenseur. Je pense à la sensation de son érection contre moi. Je pense à la façon dont il aurait l'air nu. Ma main fait son chemin entre mes cuisses. Je frotte mon clitoris en imaginant que ce sont ses doigts pressés contre moi. Je l'imagine en train d'embrasser mon cou alors que je glisse deux doigts en moi

Je laisse échapper un gémissement involontaire et prends de la vitesse alors que mon esprit fait des heures supplémentaires en pensant à toutes les choses qu'il pourrait me faire. Mes doigts travaillent dur pour essayer de relâcher la tension sexuelle qui s'est accumulée. Je sens mon orgasme se construire, je suis si proche. Je l'imagine au fond de moi et je suis sur le point de jouir quand on frappe à la porte.

Merde!

Je me lève rapidement, redresse mon peignoir et ouvre la porte tout en essayant d'être désinvolte.

Le voilà debout devant moi, mais cette fois sa chemise est entièrement déboutonnée et je peux voir sa poitrine et ses abdominaux parfaitement sculptés. Alex s'appuie contre le cadre de la porte et me regarde de haut en bas avec un sourire narquois.

Les murs ici sont assez fins.

Chapitre 6

Conneries !

Alex avance de quelques pas dans ma chambre et je recule de quelques pas. Il referme la porte derrière lui avec son pied et je déglutis difficilement.

J'ai pensé qu'en tant que votre partenaire, je devrais vous donner un coup de main.

Oh merde !

Voyons avec quoi nous travaillons, d'accord ? Alex s'avance vers moi et attrape le nœud de ma robe. Il le lâche, exposant mon corps nu en dessous.

Ses yeux s'écarquillent et il déglutit, wow !

Alexandre...

Avant que je puisse finir ma phrase, ses lèvres sont sur les miennes. Sa main glisse sous ma robe et autour de ma taille, mon corps picote à son contact envoyant une mare de chaleur entre mes cuisses. Sa langue cherche à entrer et je lui cède sans combattre. Sa langue se faufile autour de ma bouche alors qu'il m'embrasse avec une agressivité nécessaire, juste comme j'aime ça.

Les sensations accablantes qui parcourent mon corps en ce moment me font gémir et il m'attire plus près et commence à embrasser mon cou. Mes mains remontent sur sa poitrine et sur ses épaules, poussant sa chemise le long de ses bras et sur le sol. Sa main fait glisser ma robe de mon épaule alors qu'il embrasse ma peau nue. Alors que ma robe tombe sur le sol, il me regarde en prenant chaque centimètre de mon corps.

Putain de harpiste. Tu es sexy comme l'enfer.

Sans attendre de réponse, il me soulève et j'enroule instinctivement mes jambes autour de sa taille. Nous nous embrassons comme si nous étions privés de contact humain.

Il me porte jusqu'au lit et m'allonge. Sans perdre de temps, il lèche jusqu'à mes seins où il suce et taquine mes mamelons avec sa langue. Je gémis bruyamment et attrape ses cheveux. Il lève la tête et me regarde dans les yeux en glissant un doigt en moi.

Chérie, tu es trempée, me sourit-il.

J'ai déjà commencé la fête sans toi, je souris en retour.

Je sursaute alors qu'il glisse un autre doigt en moi en veillant à caresser mon sweet spot alors qu'il les pousse dedans et dehors.

Je me mords la lèvre pour essayer de me taire mais ça ne marche pas.

Vous sentez-vous mieux que lorsque vous êtes seul ?

Désolé Alex, je ne vais pas booster ton ego aussi facilement.

Ce n'est pas mal, lui répondis-je, tout en réussissant à hausser les épaules pour faire effet.

Alex rit, défi accepté.

Avant que je puisse répondre, sa tête est entre mes jambes et mon dieu est-il bon.

Oh wow!

Ce que cet homme peut faire avec sa langue est tout simplement incroyable. Je m'agrippe aux draps du lit alors qu'il lèche et effleure sa langue de manière experte, ne laissant rien intact ou manquant. Il enlève ses doigts alors qu'il plonge sa langue en moi pour les repousser quand il lèche et suce mon clitoris.

Oh mon Dieu!

Je peux sentir mon orgasme monter et je suis impuissant à l'arrêter. Qui suis-je en train d'essayer de plaisanter, je ne veux même pas l'arrêter. Je crie alors que ça me submerge et je peux sentir ce fils de pute sourire contre moi alors qu'il lèche le fruit de son travail. Il se dresse devant moi, l'air plutôt content de lui et suffisant alors qu'il commence à défaire sa ceinture.

Je ne le laisse pas gagner ça.

Je m'assieds et attrape sa ceinture en le tirant sur le lit à côté de moi.

Waouh !

Je défais son bouton et sa fermeture éclair. Il lève son cul pour moi alors que je tire son pantalon et son boxer vers le bas et hors de lui, les jetant à travers la pièce. Je rampe sur le lit jusqu'à lui puis traîne ma langue de son ventre à son mamelon où je mords.

Merde! Il crie alors que son corps sursaute et je souris avec triomphe.

Je me retourne dos à lui et m'abaisse sur sa bite dure et épaisse.

Vous ne voulez pas goûter d'abord ?

Tu dois gagner ça, je le raille et souris en sachant qu'il ne peut pas voir mon visage.

Je pensais que je l'avais fait, il rit et je secoue la tête

détrompez-vous.

Maintenant que je suis plus ajustée à sa taille, je commence à me frotter contre lui, faisant le tour de mes hanches. Alex déplace ses mains le long de mes côtés, puis me frappe fort le cul avant de s'agripper à mes hanches.

Oui! Je crie en rebondissant et je le sens me frapper profondément à l'intérieur.

Ugh... Merde harper, continue...

Je me perds à chaque mouvement qui me remplit d'excitation. Je tripote mes seins et joue avec mes mamelons, augmentant mon plaisir alors qu'Alex s'enfonce en moi alors que je continue à me frotter contre lui.

Mmm, tu es incroyable à ça, Alex gémit et je baisse une main, attrape ses couilles et commence à les masser pendant que mon autre main frotte mon clitoris.

Oh merde! crie Alex avant de s'asseoir et de tirer mes cheveux sur le côté, d'embrasser et de sucer mon cou.

Il glisse un doigt dans ma bouche et je ne perds pas de temps à le sucer pendant que je bouge mes hanches en mouvements circulaires, broyant plus fort tout en essayant de garder mon équilibre. Il retire son doigt de ma bouche et écarte ma main pour lui permettre de frotter mon clitoris.

Je gémis bruyamment alors qu'il continue son rythme sur mon clitoris tout en embrassant mon cou.

Jouis pour moi harper, dit-il de sa voix profonde et sexy et je suis sur le point d'éclater.

Oh mon Dieu! Continuer! Je lève les bras et me penche en arrière. J'enroule mes bras autour de son cou et je m'agrippe à ses cheveux, putain !

Alex met plus de pression sur mon clitoris avec ses doigts et grogne dans mon oreille, tu aimes ça ?

Je crie en me relâchant sur lui et mon corps tremble dans ses bras. Je lâchai ses cheveux et laissai tomber mes bras, lui permettant de s'allonger sur le lit.

Je n'ai pas besoin de le regarder pour savoir qu'il a ce sourire arrogant sur le visage. Je n'en ai pas encore fini avec lui.

Je me soulève de lui et me tourne pour voir la confusion sur son visage. Je me penche pour l'embrasser alors que j'enroule ma main autour de sa bite. Il gémit dans ma bouche alors que je commence à pomper ma main et il agrippe fermement les draps.

Alors que je m'éloigne, je mords sa lèvre inférieure, mmm, mon tour.

Merde! Alex siffle entre ses dents serrées.

Je me penche vers son oreille pendant que je le pompe plus fort, tu aimes ça ? Je souris intérieurement en utilisant ses mots contre lui.

Merde de harpiste... Je... Ughh !

Sentant qu'il est proche, je le chevauche, caressant le bout de sa bite avec mon trou lisse.

T'es une putain d'allumeuse ! Alex me grogne dessus.

Je me penche en avant, attrape ses cheveux et lui murmure à l'oreille, jouis pour moi Alex.

Ses yeux s'écarquillent et je fais glisser mes ongles le long de sa poitrine alors que je me laisse tomber durement sur lui.

Merde!

Ugh, je grogne de satisfaction à la fois à sa réaction et au sentiment qu'il a en moi. Je bouge mes hanches et ses mains saisissent fermement mes seins. Je le baise fort et je regarde ses yeux rouler à l'arrière de sa tête

oh mon... Ugh ! Il explose en moi. Son orgasme puissant lui fit des spasmes et se cabra sous moi.

À bout de souffle et me sentant triomphante, je me laisse tomber sur lui avant de rouler hors de lui et sur le lit.

C'est... C'était... dit Alex à bout de souffle et j'acquiesce de la tête.

Ouais.

Une erreur...

Connard!

Oui, je répète pour sauver la face.

Alex tourne la tête vers moi, l'air légèrement surpris. J'imagine qu'il ne s'attendait pas à ce que je sois d'accord avec lui, mais je ne vais pas lui faire savoir à quel point il me fait ressentir de la merde en ce moment.

Personne ne peut le savoir, dit-il fermement.

Je descends du lit et attrape mon peignoir, l'enfilant rapidement, eh bien je ne le dirai à personne. Je ramasse ses vêtements et les lui lance.

Est-ce que tu me mets dehors ? Il me sourit.

Je penche la tête sur le côté et lui souris en retour, allez Alex, tu ne t'attendais pas à des câlins après, n'est-ce pas ?

Il me regarde d'un air dubitatif, je n'agis manifestement pas comme la femme nécessiteuse qu'il attendait. Je me dirige vers la salle de bain pour me nettoyer, le laissant avec ses pensées pendant qu'il s'habille. Quand j'ouvre la porte, je vois qu'il se tient là, comme il l'a fait quand il est venu à ma porte. Seulement maintenant, il arbore une coiffure en désordre et des rayures sur sa poitrine.

Je lui ouvre la porte de la chambre et il sort.

Harper, nous ne pouvons plus recommencer.

Là dessus on est d'accord.

Tu fais? Il lève un sourcil vers moi.

Oui Alex, maintenant si ça ne te dérange pas, je ne suis pas encore complètement satisfait donc je vais revenir à ce que je faisais avant que tu ne m'interrompes. Ne vous inquiétez pas, je vais réduire le bruit.

Sur ce, je lui ai fermé la porte au nez, mais pas avant d'avoir remarqué ce qui ressemblait à un choc écrit dessus.

Merde! Je n'aurais jamais dû laisser cela arriver. Qu'est-ce que je pensais ? Mais c'était vraiment bon. Je veux dire vraiment très bon. Oh merde, j'ai des ennuis maintenant !

Chapitre 7

J'ai sérieusement envisagé de faire mes valises et de prendre le premier vol de retour hier soir. Cependant, ce serait faire savoir à Alex qu'il m'a touché et que je dois penser à ma fierté, alors me voici devant le miroir en train de lisser ma tenue. J'espère que ma jupe crayon grise moulante et ma camisole en satin noir susciteront une sorte de réaction de la part du trou du cul.

Eh bien, regarde-toi, dit Christian avec un sifflet de loup et un sourire.

Christian du matin, je rigole.

Si je ne te connaissais pas mieux, je penserais que tu évites le petit-déjeuner.

J'ai sauté le petit-déjeuner ce matin pour me concentrer et avoir l'air chaud comme de la merde mais toujours professionnel.

Heureusement que vous savez mieux n'est-ce pas, je lui souris.

Christian lève un sourcil vers moi, s'est-il levé hier soir ?

Rien à signaler. Toi?

Oh vous savez, Christian hausse les épaules tout en arborant un sourire effronté.

Christian! Je lui ai tapoté le bras, eh bien, comment s'appelle-t-il ?

Christian me regarde avec de grands yeux, comment as-tu...

Je suis très observateur, je ris en joignant mon bras au sien. Alors déversement, je veux des détails.

Christian me parle du gars qu'il a rencontré au bar hier soir alors que nous nous dirigeons vers notre table. Je dis bonjour à tout le monde mais je ne prends même pas la peine de regarder Alex. Malheureusement, parce que nous sommes partenaires sur ce projet, je dois m'asseoir à côté de lui.

Alors, comment tout le monde s'en est-il sorti ? demande Alex autour de la table.

Ouais, vraiment bien, répond Christian tandis que d'autres hochent la tête en signe d'accord.

Tina hausse les épaules, eh bien notre part était déjà faite donc nous avons eu un après-midi libre.

Quelques-uns d'entre nous échangent des regards tandis que d'autres roulent des yeux.

Ok, mettons cela ensemble, dis-je avant que les choses ne deviennent plus gênantes.

Chaque duo présente ce qu'il a et nous le mettons en place de manière transparente. Nous avons presque fini quand...

Sale petite halte !

Nous nous tournons tous vers Christian et c'est là que je remarque qu'il me sourit.

Quoi?

Rien à dire mon cul ! Tu as oublié de couvrir les preuves d'amour, rigole-t-il.

De quoi parles-tu?

Patrick se met à rire, le suçon massif sur ton cou.

Oh mon dieu... Non ! Mes yeux s'écarquillent d'horreur et je porte rapidement mes mains à mon cou dans une tentative désespérée de couvrir ce qu'ils voient.

Sarah, l'autre (plus gentille) femme de notre groupe, me tend son petit miroir et christian se fait un plaisir de me le montrer. C'est grand et sombre comme l'enfer.

Merde!

On dirait que vous avez passé une soirée productive, stella se renfrogne entre alex et moi.

JE...

Harper est parti après que nous ayons fini notre mission, dit Alex en m'interrompant.

Le visage de Stella s'illumine dès qu'Alex le dit. Jésus peut cette femme être plus évidente.

On dirait que tu t'es bien amusé, Alex me sourit.

Christian se met à rire, je ne sais pas. Je lui ai demandé plus tôt ce qu'elle avait fait la nuit dernière et elle m'a répondu que cela ne valait pas la peine d'être mentionné.

C'est dur ! Alex crache et je regarde n'importe où sauf lui.

Écoutez, nous ne sommes pas ici pour parler de mon désastre d'une nuit, alors pourrions-nous...

Catastrophe? Aïe, c'est mauvais ? Sara rit.

Stella se moque, eh bien peut-être que si vous n'étiez pas quelqu'un hors de la rue...

Waouh, d'où ça vient ? Alex l'interrompt.

Eh bien, si elle veut en parler, Stella se défend.

J'ai éclaté de rire, c'est riche venant de toi !

Je vous demande pardon, Stella fronce les sourcils. Je ne suis pas d'humeur pour cette salope aujourd'hui.

Vous pouvez mendier tout ce que vous voulez mais vous ne l'obtiendrez pas, je l'informe. Vous avez passé tout ce séminaire à baver devant Alex, alors ne restez pas assis ici et prétendez que s'il vous l'offrait, vous ne sauteriez pas sur sa bite comme un gamin avec un pogo stick. Je suis célibataire et adulte, donc si je décide de coucher avec quelqu'un, cela dépend de moi. Qu'il s'agisse d'une aventure d'un soir ou de quelqu'un que je connais et qui a décidé de lever les yeux pendant que je suis ici, ce ne sont pas vos putains d'affaires !

La majorité de notre équipe est assise, couvrant sa bouche, essayant de cacher son sourire.

Maintenant pouvons-nous faire ça s'il vous plait ? Je soupire tandis que Stella est assise avec un visage comme le tonnerre.

Quelques heures plus tard et nous sommes enfin prêts à rendre notre projet, ce qui signifie que nous avons terminé.

Donc tout le monde va boire quelques verres, tu viens ? demande Christian alors que nous rangeons le reste de nos affaires.

Merci Christian mais je vais juste rentrer à la maison.

Il fait une moue exagérée et je ne peux m'empêcher de rire.

Ne fais pas ça, je le pointe du doigt, toujours en riant. Si je vais boire un verre, je vais finir par frapper Stella.

Tu dois venir maintenant ! Christian rit et je secoue la tête.

Tu es terrible.

Tu l'aimes, il me fait un clin d'œil.

C'est ce que je fais. La prochaine fois? dis-je en ouvrant mes bras, l'invitant à un câlin.

C'est parti ! Christian m'enlace et me serre fort. Ne soyez pas un étranger cependant.

Je promets. Je lui fais un bisou sur la joue et retourne dans ma chambre pour faire mes valises.

Heureusement, c'est un vol court et j'envoie un texto à la victime pour lui demander de venir me chercher, alors je suis assis à attendre dans les arrivées quand elle et Matt arrivent.

Désolé hun, vous avez attendu longtemps? Dit-elle en me serrant dans ses bras.

Non bébé, le vol est arrivé il y a une demi-heure.

Alex n'est pas avec vous ? demande Matt en regardant par-dessus mon épaule.

Non, pourquoi le serait-il ?

Et bien vous étiez à la même conférence, dit-il en renonçant à le chercher.

Je hausse les épaules, je suppose qu'il y retournera ce soir. Nous n'avions pas prévu de partir avant demain, alors j'ai réservé un vol plus tôt.

Vic lève un sourcil vers moi, est-ce qu'il s'est passé quelque chose ?

Pas de victime, dis-je en roulant des yeux. Nous avons terminé notre projet, les autres sont sortis boire un verre et je voulais rentrer à la maison. Je ne voulais même pas aller à cette chose en premier lieu !

Matt et Victoria se regardent.

Je laisse échapper un soupir frustré, quoi ?

Oh rien, dit Vic en secouant rapidement la tête.

Sur le chemin du retour, j'informe Vic et Matt des événements du séminaire, omettant évidemment les détails sur Alex et moi commettant une erreur. Leurs oreilles se sont définitivement dressées quand je leur ai dit qu'Alex et moi étions jumelés.

Et comment ça s'est passé pour vous deux ? Matt me demande.

Nous avons fait le travail et je suis parti. Simple comme bonjour, je transmets en regardant par la fenêtre.

Et comment vous êtes-vous retrouvés ensemble exactement tous les deux ? Vic me demande.

C'était l'idée des chrétiens. Je pense que c'était surtout pour faire chier Stella. Elle voulait faire équipe avec Alex, bien que je ne pense pas que ce soit pour travailler. Christian a dit que nous devions apprendre à bien jouer ensemble.

Rien de nouveau là-dedans alors, rit Matt.

Nous ne tarderons pas à arriver dans la propriété de mon père. Je recule en voyant Matt admirer le vaste terrain.

Tu veux que j'attende hein ? demande Vic en me lançant un regard rassurant dans le rétroviseur.

Non ma chérie, tu vas bien. Vous deux profitez de votre soirée. Je dois parler avec mon père de toute façon.

Bonne chance, elle me sourit.

Merci bébé.

Je leur fais signe de partir et me dirige vers l'intérieur. Je trouve mon père dans le salon principal recroquevillé avec une femme (pas celle de l'autre soir), buvant du vin et regardant un film.

Harpiste ! Je ne t'attendais pas avant demain.

Je parie que tu ne l'étais pas, je croise les bras sur ma poitrine et tape du pied droit.

Comment était la conférence ?

J'ai dû parler aux organisateurs. Il s'avère qu'ils m'ont enregistré pour la mauvaise chose.

Mon père fronce les sourcils, comment ça ?

Eh bien, c'est une série de séminaires. Apparemment, il y en a cinq autres. Un par mois. Je leur ai dit qu'il devait y avoir une erreur car vous m'aviez inscrit pour une conférence de deux jours et non pour une série de séminaires de six sessions.

Mon père remue mal à l'aise sur le canapé, harper...

Ils m'ont demandé si je voulais rester sur la liste puisque c'était déjà payé, je l'interromps et je regarde son visage devenir cramoisi. Je leur ai dit que je ne pouvais pas faire ça. Je ne peux pas m'engager là-dessus avec l'entreprise et l'école.

S'il te plaît, dis-moi que tu ne l'as pas fait, souffle-t-il alors que ses yeux se remplissent de panique.

Bien sûr que je l'ai fait.

Pour l'amour du christ harpiste !

Ne t'inquiète pas papa, ils ont clairement fait l'erreur. Ce n'est pas comme si tu m'inscrirais à une série de séminaires sans me parler d'abord.

Ce n'était pas une erreur !

Son explosion lui a fait perdre le calme qu'il essayait de maintenir et il a maintenant l'air visiblement énervé.

S'il vous plaît dites-moi que vous avez participé? demande-t-il en serrant les dents.

Bien sûr que je l'ai fait. Je n'allais pas faire d'histoires parce que mon père pensait qu'il pouvait s'en tirer en me mentant, dis-je calmement.

Il ouvre la bouche pour dire quelque chose puis la referme en absorbant ce que je viens de dire. Je regarde son expression passer de la colère à l'embarras.

Vous n'avez donc pas approché les organisateurs ?

Et ternir le nom de Henderson ? je me moque. Non, je ne l'ai pas fait.

Alors tu iras ? demande-t-il prudemment.

Je n'ai pas le choix, n'est-ce pas ?

Harpiste...

Je lève la main, le coupant, garde-le papa. Je ne veux pas l'entendre.

Sur ce, je porte ma valise à l'étage et monte dans ma chambre.

Je me détends avec un film et une bouteille de vin quand j'entends mon téléphone sonner.

Numéro inconnu : où es-tu ?

Ne reconnaissant pas le numéro que j'ignore, ils ont manifestement la mauvaise personne. Environ une demi-heure plus tard, il sonne à nouveau.

Numéro inconnu : vous m'ignorez complètement maintenant ?

Harper : je pense que vous vous êtes trompé de numéro

numéro inconnu : harper?

Harper : Qui est-ce ?

Numéro inconnu : ta personne préférée

harper : vic, avez-vous reçu un nouveau numéro ?

Numéro inconnu : non

harper: chrétien?

Numéro inconnu : êtes-vous pour de vrai ?

Harper : eh bien, il n'y a personne d'autre que j'aime, alors dis-moi qui tu es ou va te faire foutre

numéro inconnu : et si je disais partenaire ?

Non! Ça ne peut pas être

Harper : Alex ?

Alex : Bravo, tu y es finalement arrivé !

Harper : Comment avez-vous obtenu mon numéro ?

Alex : du pack de bienvenue

eh bien c'est juste putain de super !

Alex : Où es-tu ?

Harper : Qu'est-ce que ça t'importe ?

Alex : Quand tu ne t'es pas présenté pour boire un verre, j'ai frappé à ta porte pour vérifier que tu allais bien. Un gars a répondu à la porte et a dit que tu n'étais pas là. Je ne savais pas qui tu étais. Que se passe-t-il?

Harper : je suis à la maison

Alex : pourquoi ?

Harper : le séminaire est terminé, je ne voulais pas traîner

Pourquoi est-ce que je m'explique avec lui ?

Alex : C'est à propos d'hier soir ?

Ne te flatte pas mon pote.

Harper : Que s'est-il passé hier soir ?

Alex : harpiste

Harper : Alex, qu'est-ce que tu veux ?

Alex : Je voulais juste vérifier si tu étais bon.

Harper : Je suis super.

Il ne répond pas et je ne vais pas mentir, il m'a définitivement laissé perplexe. C'est pourquoi c'est juste moi et Vic toutes ces années. Les hommes ne causent que du chagrin.

Chapitre 8

Ça a été une longue journée de travail et maintenant je suis debout dans ma chambre avec les coiffeuses et maquilleuses qui mettent la touche finale à mon look. Nous avons un événement de collecte de fonds ce soir où des centaines d'entreprises assistent pour donner de l'argent à une gamme d'organismes de bienfaisance. C'est une excellente idée, mais je suis mort sur mes pieds et l'idée de passer un vendredi soir avec mon père n'est pas exactement quelque chose que je choisirais.

Tu as l'air incroyable ma chérie, dit mon père alors que je traverse le hall dans ma longue robe noire à épaules dénudées.

Merci, je réponds avec hésitation en attendant qu'il commente à quel point le décolleté en cœur ou la fente latérale sur ma cuisse sont inappropriés.

Êtes-vous prêt à vous lancer ?

Je prends une profonde inspiration, comme je ne le ferai jamais.

Heureusement, il n'y a qu'une trentaine de minutes en voiture du lieu. A notre arrivée, nous sommes accueillis avec des coupes de champagne et escortés jusqu'à notre table.

Et là, je pensais que nous allions profiter de notre soirée.

Je suis à quelques pas de mon père mais quand j'arrive à table, je vois la raison de son commentaire sarcastique.

Henderson, Mr Munro gronde.

Munro.

Papa, tiens-toi bien, dis-je fermement.

Vous devriez écouter votre fille, dit m. munro avec un sourire narquois.

Je m'assieds en évitant le contact visuel avec alex. Il est comme un furoncle sur le cul, surgit au pire endroit possible et est extrêmement irritant.

Eh bien, ton père ne s'amuse peut-être pas, mais ma nuit s'est beaucoup améliorée.

Je me tourne vers le mec mignon à ma gauche qui me fait un sourire primé.

Enchanté de vous rencontrer, je suis Lincoln, il me tend la main.

Enchanté de te rencontrer Lincoln, je suis Harper, je lui tends la main mais il me surprend en déposant un petit bisou sur mes phalanges.

Je peux sentir des yeux sur moi mais je n'ose pas regarder, principalement parce que je ne veux pas que la table me voie rougir.

Tu devrais faire attention, gamin, tu ne peux pas faire confiance à un henderson, dit m. munro de l'autre côté de la table et j'affiche un faux sourire alors que je me tourne pour faire face au vieux con acariâtre.

Avec tout le respect que je vous dois, M. Munro, ce qui s'est passé entre vous et mon père est entre vous deux. Vous ne me connaissez pas et n'avez jamais pris le temps de le faire. J'apprécierais si vous pouviez garder vos suppositions sur moi, parce que soyons réalistes, c'est ce qu'elles sont, pour vous.

Mon père est assis avec un sourire arrogant sur le visage tandis que M. Munro a l'air de sucer un citron.

Tu oublies la petite demoiselle que j'ai connue en tant que nipper, il m'engueule.

Je ne suis plus une pincette monsieur, je suis une femme adulte...

Tu l'es vraiment, marmonne Lincoln à côté de moi.

Et tu as raison, je ne m'en souviens pas. C'est parce que cette petite querelle entre toi et mon père a commencé il y a près de 20 ans, je lui rappelle.

C'était tout sauf mesquin, crache M. Munro.

Je lève la main pour l'arrêter, ça ne m'intéresse pas et ça ne m'intéresse pas.

Mr Munro se tourne vers mon père, le visage rouge de colère, tu vas juste la laisser me parler comme ça ?

Je m'amuse plutôt, sourit papa.

Comme l'a dit Harper, c'est une femme adulte, elle peut parler à qui elle veut de la manière qu'elle veut, informe Lincoln munro senior.

Papa s'en va, elle est comme son père, se moque Alex.

Je me tourne pour faire face à Alex et plisse les yeux vers lui, ce n'est pas parce que tu es assis là une copie conforme de la tienne que je suis comme la mienne, dis-je d'une voix élevée. Vous êtes tous les deux assis là avec vos opinions préconçues sur moi et c'est bien mais ça ne les rend pas justes !

Eh bien, je t'aime vraiment bien, rit Lincoln.

Vous ne la connaissez même pas ! Alex craque.

Toi non plus! je rétorque.

J'ai fait un geste audacieux ici. Il pourrait prendre un risque et divulguer à tout le monde que nous avons couché ensemble. Quoi qu'il en soit, il ne me connaît toujours pas, il n'a jamais pris le temps de me connaître. Un coup sans signification ne change rien à cela.

Vous êtes argumentatif, opiniâtre et... Et...

Oh merde, il va le faire.

Exaspérant!

Dieu merci pour ça. J'ai presque craqué mon string en dentelle.

Attends... Lincoln joue, alors elle ne se fout pas des autres, sait ce qu'elle pense et t'énerve. C'est ce que vous dites ? Lincoln sourit à Alex.

Cela n'a rien à voir avec vous! Alex lui crie dessus.

Ou moi! je crie en retour. J'avais 2 ou 3 ans quand tout ce que c'était est tombé. Je ne sais pas ce qu'un bambin aurait pu faire pour que vous me détestiez autant mais j'en ai marre !

Heureusement, la nourriture arrive, donnant à chacun autre chose sur quoi se concentrer car nous commençons à attirer l'attention des autres, et pas du genre que j'aime.

Après un beau repas de trois plats et une vente aux enchères très réussie, récoltant 150 000 pour la charité, la musique commence et les lumières s'éteignent.

Que diriez-vous harper, envie d'une danse? Lincoln me sourit.

Oh, hein, ouais pourquoi pas, je bégaye en sentant mes joues commencer à chauffer.

Lincoln se lève de table et me tend la main. Je ne peux pas m'empêcher de sourire en le prenant. Il me conduit sur la piste de danse et m'attire à lui pendant qu'il se balance avec moi au rythme de la musique.

Alors, de quoi s'agissait-il plus tôt?

Je soupire, honnêtement, je ne sais pas.

Semblant intense, il rit.

Tout ce que je sais, c'est qu'ils se sont disputés il y a des années et je semble être pris entre deux feux.

Et qu'en est-il d'Alex ?

Qu'en est-il de lui?

Eh bien, qu'est-ce qui se passe là-bas?

Je ne peux que supposer qu'il sait ce qui s'est passé, dis-je avec un haussement d'épaules.

Lincoln rit, ce n'est pas ce que je veux dire.

Je fronce les sourcils, tu m'as perdu.

Allez Harper, il me sourit.

Quoi?

Vous ne le voyez vraiment pas, n'est-ce pas ?

Lincoln, arrête de déconner.

Wow, tu es adorable, rit Lincoln en secouant la tête.

Je vais marcher sur tes orteils si tu ne renverses pas, je le préviens par espièglerie.

La façon dont il vous regarde, vous laisse entrer dans sa peau.

Oui, avec haine.

Non, je ne pense pas que ce soit de la haine, sourit-il. C'est certainement quelque chose cependant.

J'ai éclaté de rire, oh arrête.

Vous ne me croyez pas ?

Curieusement, non, je lui souris.

Alors tu devrais regarder par toi-même, il nous fixe depuis qu'on est là-haut, Lincoln me fait tourner sur la piste de danse et je lui jette un coup d'œil à mon tour.

Comme je l'ai dit haine, dis-je en roulant des yeux.

Comme je l'ai dit, adorable, il me sourit.

On danse encore quelques chansons avant que je doive faire une pause aux toilettes.

Alors que je quitte les toilettes pour retourner à la table, je tourne le coin et assiste à une dispute entre Lincoln et Alex. Je me cache rapidement derrière le coin et écoute.

J'ai dit de rester loin d'elle ! Alex crie à lincoln.

Je ne sais pas quel est ton problème, mec.

C'est toi qui mets tes sales mains partout sur elle !

Lincoln rit, c'est un agent libre et je ne l'ai pas entendue se plaindre. En fait, je suis presque sûr qu'elle a laissé échapper un doux gémissement sexuel...

Je jure Lincoln que tu es à un mot d'avoir mon poing dans ton visage ! Alex le coupe.

Je pensais que tu la détestais ? Lincoln le pousse.

Toi et moi savons tous les deux que tu es du genre à pomper et à vider, dit Alex et je remarque qu'il n'a ni confirmé ni nié l'accusation de haine.

Et si je le suis. Rien de mal à s'amuser un peu entre adultes.

Elle mérite mieux que ça !

Le culot de ce connard, j'en ai assez entendu. Je sors en trombe du coin de la rue, marche jusqu'à alex et sans même prendre une minute pour réfléchir, je retire ma main avant de le gifler violemment au visage.

Waouh ! Lincoln rit à moitié, je présume de la maladresse.

Les yeux d'Alex s'écarquillent alors qu'il se tient le visage, c'était pour quoi ?

Tu es un homme intelligent, je suis sûr que tu peux le comprendre ! J'aboie après lui.

Harpiste...

Je me tourne vers Lincoln, l'arrêtant au milieu de sa phrase, merci Lincoln pour cette belle soirée. Veuillez m'excuser, mais j'en ai assez pour une nuit.

Puis-je au moins avoir votre numéro ? Il me sourit et je souris immédiatement en retour.

Si tu le veux, tu peux me chercher. Tu dois gagner une pompe et une décharge avec moi, dis-je avec un clin d'œil et j'entends le rire de Lincoln alors que je laisse les deux hommes debout là.

Tu vas bien ma chérie ? demande mon père alors que je retourne vers la table.

Je ne me sens pas très bien, je vais rentrer à la maison.

Je peux venir avec toi.

Non! C'est bon, vous restez et profitez de la nuit.

Avant qu'il ne puisse commencer à m'interroger, j'attrape mes affaires et je sors de la magnifique salle. J'envisage d'appeler vic, mais elle voudra des détails et je ne peux pas les lui donner, alors je commande un uber à la place.

Je rentre chez moi et mets mon pyjama. Je suis toujours assez énervé. Comment ose-t-il faire la leçon à quelqu'un pour qu'il fasse exactement ce qu'il a fait. Mon téléphone sonne et je le vérifie tout en marmonnant pour moi-même.

Alex : J'ai toujours le visage qui pique !

Ne lui répondez pas. Fais pas attention à lui.

Harper : bien !

Maudit harpiste !

Alex : Tu veux me dire pourquoi j'ai reçu un high five facial ?

Harper : si vous ne savez pas, alors vous êtes un connard encore plus gros que je ne le pensais au départ !

Alex : Qui est celui qui fait des suppositions ?

Harper : non, c'est une conclusion basée sur des faits. Maintenant va te faire foutre !

Alex : J'essayais d'avoir un échange civil, c'est toi qui es grossier !
Harper : s'il vous plaît, allez vous faire foutre !
Le culot de ce branleur.

Chapitre 9

Nous voilà donc un mois plus tard et nous revoilà pour un autre séminaire. Je n'ai rien entendu d'Alex depuis le soir de la soirée caritative et j'ai fait des excuses à Vic pour expliquer pourquoi je ne peux pas sortir pour les soirées de groupe, mais elle ne les achète certainement pas.

Harpiste ?

Hein? Je suis sorti de mes pensées et je vois Christian me regarder avec inquiétude.

Est-ce que tu vas bien? demande-t-il en me caressant doucement l'épaule.

Ouais désolé mon esprit vient de vagabonder pendant une seconde, je lui ai souri.

Est-ce qu'on vous ennuie ? me demande Alex et mon sourire s'estompe.

Je me tourne pour regarder Alex, pas tout le monde.

Ugh, pouvons-nous continuer avec ça s'il vous plaît, gémit Stella. Oh Stella, comme tu m'as manqué.

Nous avons reçu des retours sur notre dernier projet et dans l'ensemble c'était plutôt positif. Il y avait quelques suggestions d'amélioration, en particulier autour de la section stella et tina, donc stella est d'humeur particulièrement énervée aujourd'hui.

Bien sûr, ne me dérange pas, je hausse les épaules.

Alex souffle et s'affale sur sa chaise, j'avais fini de toute façon.

La tâche cette fois est d'utiliser notre fonds de démarrage et de créer notre propre entreprise. Il a été décidé que nous ferions un tour de table, chacun décrivant comment nous allions mettre les choses en place, puis travaillerons ensemble pour soumettre un plan d'affaires intégrant les idées de chacun.

A ton tour harpiste, Sarah me sourit.

Je passe en revue mon plan de démarrage. Je ne prends pas la peine d'entrer dans les détails comme je le ferais normalement, je veux juste que ce soit fait.

Vous ne pouvez pas être sérieux ! hurle Stella.

Pourquoi pas? J'arrive à demander calmement mais elle est à un cri d'un visage endolori.

Vous êtes situé dans un petit bureau minable et vous n'avez pas d'assistant. L'image est tout, même si je peux vous dire que cela ne vous intéresse pas beaucoup. Vous n'aurez pas de clients si vous n'avez pas la bonne image, dit Stella en me regardant de haut en bas.

Je lève les yeux vers elle, alors que ferais-tu Stella ?

Christian se penche vers moi et murmure, c'est parti.

Eh bien, d'abord, j'achèterais ma propriété au lieu de la louer comme vous, me sourit Stella. J'achèterais une grande propriété et je la ferais rénover... Elle commence à énumérer tous les objets qu'elle obtiendrait pendant que nous restons assis et la regardons avec incrédulité. Ensuite, je demanderai à mon assistant d'organiser des soirées de réseautage.

Es-tu vraiment sérieux ? s'exclame Patrick.

Je couvre rapidement ma bouche pour ne pas éclater de rire à sa réaction.

Je pense que c'est une bonne idée, gazouille Tina.

Sarah se tourne vers moi, quelqu'un devrait lui dire.

Et bien ne me regarde pas, elle me déteste ! dis-je plus fort que prévu, ce qui fait rire Sarah.

Nous regardons tous Alex.

Bien, il soupire. Stella, ce que vous proposez ne fonctionnera pas.

Quoi? Pffit bien sûr que ça l'est, Stella se moque de lui.

Tu n'as pas assez d'argent, lui dit Patrick.

Stella roule des yeux, ouais d'accord.

Tout le monde me regarde. Apparemment, une de mes compétences est d'expliquer extrêmement bien les choses.

Ok regardons ça sous un autre angle. Combien coûte votre bien ? je demande à Stella.

Quoi ?

Vos locaux professionnels. Tu veux l'acheter alors combien ça coûte ? je demande à nouveau.

Je ne sais pas, elle hausse les épaules.

Vous devez, dis-je, essayer vraiment de rester calme.

Comment diable saurait-elle cela ? Tina intervient, défendant son amie.

Elle doit fixer une fourchette de prix, dit Alex à Tina et les deux dames lui font un clin d'œil.

Eh bien, c'est facile, dit Stella avec un geste de la main.

Ok, donc une fois que vous avez confirmé que vous pouvez obtenir un prêt hypothécaire à ce prix mensuel pour la propriété que vous souhaitez, vous devrez soustraire le dépôt, les frais et dire environ six mois de remboursements hypothécaires, au moins. Combien cela vous laisse-t-il ? Je lui demande.

Comment diable suis-je censé savoir ça ? Stella me lance un coup sec et je lève les bras en signe de défaite.

Alex prend une profonde inspiration, tu dois savoir ces choses Stella. Ce qu'il vous reste couvrira tout le reste.

Quelle était la prochaine sur votre liste ? je lui demande, ayant renoncé au prix de la propriété.

Stella y réfléchit un instant avant de hocher la tête, je dois décorer ma boutique.

Est-elle pour de vrai ? Christian me chuchote et je baisse la tête pour que personne ne me voie sourire.

D'accord, dit Alex en levant un sourcil, et combien cela coûte-t-il ?

Stella fronce les sourcils, je ne sais pas.

Fais une supposition, lui dit Alex.

On pourrait être ici un moment, me chuchote Christian et je frappe sa jambe sous la table.

Au moment où Stella énumère tout ce qu'elle veut, il ne reste presque plus d'argent.

Eh bien, votre assistante n'y va pas, je l'informe.

Certainement pas!

Je regarde directement Stella, comment comptez-vous la payer ?

Eh bien... Eh bien, je...

Écoute, ça va, dis-je rapidement pour qu'elle arrête de bégayer. C'est à cela que servent ces séminaires, n'est-ce pas. Nous effectuons ces tâches afin de pouvoir en tirer des leçons et réussir.

Faut-il être si condescendant ? Stella me gronde.

Stella ! Patrick élève la voix vers elle puis me lance un regard d'excuse.

Elle n'est pas meilleure que moi, rétorque Stella. Comment ose-t-elle me parler.

Ce n'est pas ce qu'elle faisait, alex la rassure

écoute, arrêtons-nous pour une pause, suggère christian. Harper et moi allons chercher des sandwichs à la charcuterie du coin.

Nous prenons la commande de chacun et nous dirigeons vers la charcuterie.

Ok qu'est-ce qui se passe ? demande-t-il en m'ouvrant la porte.

Hein?

Ne me donne pas ça, sourit-il. Il se passe quelque chose avec vous, vous semblez distrait. Alors renverse.

Il m'est arrivé quelques trucs à la maison. Ce n'est pas grand chose.

Christian me regarde avec un sourcil levé avant de passer notre commande. Une fois que nous sommes passés à l'autre bout du comptoir de service, il se tourne vers moi.

Est-ce que ça a quelque chose à voir avec Alex ?

Quoi? Non. Alex. Non pourquoi?

Jesus harper, donc pas subtil.

Je viens de remarquer qu'il n'était pas aussi con avec toi que la dernière fois.

Ah d'accord.

Christian me sourit, et tu n'as pas eu de contact visuel avec lui depuis tout le temps que tu es ici.

Maudit soit-il.

Je secoue la tête, comme je l'ai dit, j'ai été distrait.

Non, j'ai dit que tu étais distrait, me corrigea-t-il en souriant.

Oh tais-toi, je ris et heureusement il rit avec moi.

Comme le bon ami qu'il est chrétien, change de sujet et je dois admettre que je me sens définitivement mieux au moment où nous revenons sur les lieux.

Après encore quelques heures de travail ensemble, nous avons décidé de nous en tenir à notre méthode éprouvée de jumelage et de travail sur une section chacun.

Est-ce qu'on s'en tient aux mêmes couples ? Sarah demande à tout le monde.

Je pense que nous devrions changer. Je sens vraiment que je pourrais bénéficier de l'expertise d'Alex ici, sourit Stella.

Si c'est ce que vous...

Je pense qu'on devrait rester comme avant, dit Alex en m'interrompant.

Merde, merde, merde. Alex me regarde et j'essaye désespérément d'éviter son regard.

Oui, je suis avec Alex, nous savons déjà que nos couples fonctionnent. Christian intervient.

Traitre!

Ok, alors que diriez-vous d'aller dans nos paires, de discuter de la façon dont nous voulons aborder cela, puis de nous retrouver pour un dîner et un verre dans, disons... Quelques heures ? suggère Sarah.

Cela ressemble à un plan, Alex lui sourit.

Chacun rassemble ses affaires et quitte la table pour commencer la suite du projet.

Harpiste ! Attendre jusqu'à!

J'entends Alex m'appeler et j'espère désespérément que l'ascenseur arrivera avant lui.

Harpiste...

Pas de chance. À contrecœur, je me tournai pour lui faire face.

Qu... Où veux-tu aller travailler ?

Le puissant alex munro semble nerveux. Normalement, je mettrais du sel dans la plaie, mais la vérité est que je suis aussi nerveux, donc toute tentative de jubilation échouera.

Écoute Alex, on peut juste récupérer ça demain.

On pourrait au moins élaborer un plan d'attaque aujourd'hui.

L'ascenseur arrive enfin et nous entrons tous les deux.

Et ta chambre cette fois ? Il suggère.

Quoi ?

Travailler ? Il rit.

Bien sûr.

C'était sorti de ma bouche avant que j'aie eu le temps de réfléchir. Oh merde. Je ne voulais pas de lui dans ma chambre !

Je ne pense pas que nous aurions pu être plus gênants si nous avions essayé. Nous nous asseyons à table dans ma chambre et créons une carte mentale des points sur lesquels nous voulons nous concentrer demain. Au moment où nous avons terminé, on dirait qu'une licorne a chié sur la page avec tout le surligneur et les notes autocollantes giflées dessus.

Alors... Tu prévois de sortir avec nous cette fois ? demande Alex.

Ouais je serai là.

Est-ce que je veux y aller ? Non. Dois-je faire un effort ? Oui.

Alex hoche la tête avec un sourire, ok alors, je te verrai dans quelques heures.

Je le laissai sortir de la chambre et refermai la porte derrière lui puis je me laissai tomber face contre terre sur le lit.

Quand est-ce que tout est devenu si compliqué ? Je gémis dans l'oreiller.

Je me débat de façon spectaculaire sur le lit pendant quelques minutes avant de me préparer. Ce n'est pas un dîner chic ou quoi que ce soit, juste de la bouffe de pub et des boissons, alors j'ai choisi ma jolie robe d'été blanche.

Je descends dans le hall et les entends avant de les voir.

Christian laisse échapper un sifflement de loup, regarde-toi magnifique !

Chut, baisse-toi, dis-je en sentant mes joues brûler.

Oh allez Harper, les gars ne vont pas pouvoir garder leurs mains pour eux ce soir, il fait un clin d'œil et je commence à rire.

Oh arrête ça, j'ai poussé l'épaule du chrétien de manière ludique avant de lier mon bras au sien. Christian me conduit vers le reste de notre équipe.

Les yeux d'Alex s'écarquillent quand il me voit approcher, est-ce que... Wow, Harper, tu as l'air...

Comme si elle n'avait pas fait d'effort ? Stella intervient.

Ouais, c'est ton idée de t'habiller ? Tina me demande.

Sarah rit nerveusement, woah je détesterais entendre ce que tu penses de ma tenue.

Je pense que tu es magnifique ma chérie, dis-je en lui caressant le bras de manière rassurante.

Merci à toi aussi.

Stella et Tina se tiennent là comme si elles venaient de mâcher une guêpe. Ils sont totalement exagérés pour la bouffe de pub, mais c'est peut-être leur truc.

Allez, je meurs de faim ! dit Patricks en se frottant les mains et avec cela nous partons pour notre destination.

Je déteste l'admettre mais je passe une assez bonne nuit. La nourriture était délicieuse et nous nous détendons tous avec nos boissons et apprenons à mieux nous connaître. Eh bien, la plupart d'entre nous le sommes de toute façon, le fan club d'Alex a passé la nuit à baver sur lui et honnêtement, ça a été assez amusant.

Ok les gars, je vais juste me diriger vers les dames avant de partir, dis-je alors que nous nous levons tous de la table.

Eh bien, attends dehors, dit Christian en désignant la sortie.

Je me dirige vers le coin toilette qui se compose de deux petites pièces l'une en face de l'autre contenant des toilettes et un lavabo. J'entre chez les dames, fais mes affaires et me lave les mains avant de déverrouiller la porte pour sortir.

Qu'est-ce que le...

Je n'ai même pas fait tout le chemin quand on me pousse à l'intérieur et que la porte est verrouillée.

Alex !

Chapitre 10

Tu m'évites, dit Alex d'un ton séduisant et sexy.

Seigneur, donne-moi la force. Merde, il a l'air incroyable.

Cela ne semble pas fonctionner, je réponds avec sarcasme.

Harper je...

Ne le faites pas!

Je commence à passer devant lui mais il attrape mon bras et me fait pivoter, me claquant contre la porte.

Putain de merde c'était chaud !

Nous respirons tous les deux si fort que je suis sûr que le bruit sourd que je peux entendre est notre cœur qui bat. Nous nous regardons dans les yeux avec une telle intensité que le battement entre mes jambes devient insupportable.

Alexandre...

Avant que je puisse finir ma phrase, ses lèvres sont sur les miennes et sa langue dans ma gorge. J'attrape ses cheveux alors qu'il agrippe mon cul, il se presse contre moi et je peux sentir sa grosse érection à travers son jean.

Je gémis involontairement et il s'éloigne une seconde pour me regarder avant de laisser échapper un grognement sourd et de dévorer à nouveau ma bouche. Cette fois, cependant, il me frotte contre la porte et ça me rend fou.

Jésus harper, dit-il à bout de souffle alors qu'il s'éloigne de notre baiser.

Je ne dis rien, je ne peux pas, je ne me fais pas confiance en ce moment. Il ne rompt jamais le contact visuel alors que sa main remonte le long de ma jambe et sous ma robe.

J'ai voulu faire ça toute la nuit.

Je mords ma lèvre inférieure alors qu'il déplace mon string sur le côté et glisse un doigt à l'intérieur.

Ohh mm.

Il se penche vers mon oreille et murmure, tu es trempé.

Ma respiration se coupe et il commence à embrasser mon cou alors qu'il pousse non pas un mais deux doigts en moi.

Merde! Je m'agrippe à nouveau à ses cheveux et lui cède. Ce putain de doigt d'homme est incroyable.

Il embrasse mes seins où il tire ma robe pour exposer mon mamelon, puis sans hésitation il donne une chiquenaude à mon mamelon avec sa langue avant de le tirer avec ses dents puis de le sucer fort.

Je rejette ma tête en arrière en gémissant bruyamment.

Alex se met à genoux et me sourit, et j'ai pensé à faire ça tous les soirs depuis la dernière fois.

Qu'est-ce qu'il... Noooon, il ne peut pas être sérieux en ce moment. Il tire mon string vers le bas, le met dans sa poche et soulève ma jambe par-dessus son épaule. Il va vraiment le faire. Il soulève ma robe par-dessus sa tête et en quelques secondes je sens sa langue sur moi.

Bon dieu!

Je ne le lui avouerai jamais mais il est le meilleur que j'ai eu dans ce domaine. Je peux sentir mon orgasme monter et aller de l'avant, en redemandant. Je ne suis pas sûr de tenir encore longtemps.

Je sursaute légèrement en entendant frapper à la porte.

Harpiste ? Christian appelle de l'autre côté de la porte.

Merde!

Je sens Alex sourire contre moi alors que je suis figé par la peur. Il va s'arrêter, non ? Il doit. Il ne s'y risquerait pas.

Il ne s'arrête pas.

Harper, tu vas bien là-dedans ?

V... Oui.

Je mords l'intérieur de ma joue en essayant désespérément de ne pas nous trahir pendant qu'Alex continue de m'envoyer précipitamment vers mon orgasme.

Vous êtes sûr hun, vous avez été un moment.

Oh mon dieu, je ne peux pas le retenir

Je viens!

Ok alors, Christian crie à travers. Nous vous retrouverons à l'extérieur. Oh et si vous voyez Alex en sortant, amenez-le avec vous.

Un coup de langue de plus et j'ai fini.

Putain d'Alex !

Mon corps tremble sous l'intensité de mon orgasme alors qu'il me traverse.

Christian rit, ouais désolé j'ai oublié. A dans une minute.

Je suis haletante alors que ce bâtard suffisant sort de sous ma robe et se dresse devant moi.

Nous devons y aller. dis-je rapidement avant qu'il ait une chance de jubiler.

Je l'ai poussé hors du chemin et j'ai ouvert la porte, sans même vérifier si tout était dégagé. Je me dirige vers l'extérieur en défroissant ma robe et je vois les autres qui attendent debout.

Christian lève un sourcil vers moi, vous allez bien harper, vous avez l'air rouge.

Ouais, c'était juste des crampes, je lui ai dit.

J'espère que ce n'était pas la nourriture, dit Patrick en commençant à se frotter le ventre.

Non, je pense que c'est juste cette période du mois.

Tout le monde se fout la gueule mais au moins je sais qu'ils laisseront tomber le sujet.

Avez-vous vu Alex ? demande Stella en me regardant d'un air renfrogné.

Je suis là.

Je sens mon corps se raidir quand je l'entends derrière moi, je ne peux pas me tourner pour lui faire face, je vais tout donner.

Christian passe son bras autour de moi, allez on te ramène à l'hôtel.

Je me sens chrétien me regardant alors que nous revenons ensemble.

Es-tu sûr d'être bon ?

Honnêtement je suis super.

Christian fronce les sourcils vers moi, ok maintenant je sais que tu parles comme un fou.

Je suis un bon chrétien, je ris. Rien, un bain, une bouteille de vin et du chocolat n'arrangeront rien.

Ok, mais je serai juste au bar en bas donc si tu as besoin de quoi que ce soit juste un texto.

Aucune chance! Je ne veux pas t'interrompre toi et un mec pendant la salsa sexy.

Christian éclate de rire, je devrais avoir de la chance.

Nous entrons dans le hall de notre hôtel et nous nous arrêtons devant l'ascenseur.

On se voit demain matin pour le petit-déjeuner ? demande Christian avec un sourire.

Certainement.

Je fais un câlin à Christian puis prends l'ascenseur jusqu'à mon étage et me dirige vers ma chambre. Dès que je suis à l'intérieur, je me verse un très grand verre de vin et prends une grande gorgée. Juste au moment où je pose mes fesses sur le lit, on frappe à la porte.

Je secoue la tête en riant en me levant et en ouvrant la porte.

Avez-vous oublié quelque chose?

Non, mais tu as oublié ça, sourit Alex alors qu'il se tient à la porte de ma chambre d'hôtel en balançant mon string au bout de son doigt.

Alex... Je euh... Je pensais que tu étais chrétien.

Alex me regarde un instant puis prend une profonde inspiration, nous devons parler.

À propos de quoi?

À propos de ça.

Il entre dans ma chambre et me soulève, claqua la porte derrière lui avec son pied. J'enroule mes jambes autour de sa taille et passe mes mains dans ses cheveux. Aucun mot n'est dit mais nous ne rompons jamais le contact visuel. Il s'assoit sur le bord du lit et tire ma robe sur moi, la jetant à travers la pièce. Il se lève et me jette doucement sur le lit. J'utilise mes coudes pour me redresser alors qu'il se tient là en train de se déshabiller.

Alexandre...

Tu es incroyablement belle.

Je ne peux pas m'empêcher de rougir, surtout avec ces mots venant de lui. La dernière fois que nous nous sommes retrouvés comme ça, c'était chaud et urgent, mais c'est la première fois que nous nous regardons tous les deux et j'aime ce que je vois.

Alex grimpe sur le lit et rampe sur moi, s'installant entre mes jambes. Je respire si fort que ma poitrine se soulève. Alex m'embrasse, m'abaisse doucement pour que je reste à plat pendant que nos langues explorent la bouche de l'autre.

Alex s'éloigne de notre baiser et me regarde profondément dans les yeux. J'ai besoin d'être en toi.

Dès qu'il dit les mots, je le sens se pousser lentement en moi et je mords ma lèvre en gémissant de plaisir.

Tu te sens incroyable, dit-il avant de se pencher pour m'embrasser à nouveau pendant qu'il continue à entrer et sortir lentement de moi.

Ce n'est pas du sexe. C'est autre chose. C'est comme si nous y mettions à la fois nos émotions et nos non-dits. Il me tient près de lui, m'embrassant et poussant pendant que je fais courir mes mains sur tout son corps. C'est intense mais sensuel à la fois.

Nous avons tous les deux atteint notre point culminant à quelques secondes d'intervalle, laissant échapper des gémissements et des cris qui, j'en suis sûr, réveilleraient les morts. Alex s'éloigne de moi et nous nous allongeons côte à côte en essayant de reprendre notre souffle.

Harper,

nous y voilà.

Je sais Alex, cela ne s'est pas produit.

Je me déplace pour descendre du lit et me couvrir quand je sens son bras s'enrouler autour de ma taille, me tirant en arrière pour que je sois nichée contre lui.

Je ne peux plus faire ça.

Je lève la tête vers lui, faire quoi ?

Oh allez harper, tu sais de quoi je parle.

Je n'y crois pas, il est venu vers moi.

C'est pourquoi je suis resté à l'écart. lui ai-je crié. Nous devons juste garder nos distances.

Et si je ne veux pas.

Je m'assieds et le regarde alors que mon cœur commence à battre plus vite.

Alex, qu'est-ce que tu dis ?

Alex me caresse le visage, je dis que je ne sais pas comment mais tu me fais penser à toi chaque minute de chaque jour.

Alexandre...

Je te veux harpiste.

Wow, c'est la dernière chose que je m'attendais à ce qu'il dise. Tout ce que je peux faire, c'est le regarder.

Alex se redresse et prend ma main dans la sienne en disant quelque chose.

Je... Je ne sais pas quoi dire, je suis choqué !

Alex regarde nos mains entrelacées, eh bien je ne pense pas que je me trompe quand je dis que je pense que tu me veux autant que je te veux.

Je suppose.

Alex éclate de rire, tu supposes ?

Je lui ai fait la grimace, eh bien je ne me suis jamais laissé aller là-bas. Tu me détestes, souviens-toi.

Tu l'as dit toi-même, je ne te connaissais pas. Ce que j'apprends à connaître, j'aime, j'aime vraiment.

Ok, dis-je avec hésitation.

Ne vous méprenez pas, vous m'exaspérez encore parfois, mais quand vous le faites, je veux juste donner une fessée à votre cul sexy pendant que je vous baise fort par derrière en guise de punition.

Mes yeux s'écarquillent et je bouge légèrement alors que tout mon corps vibre d'excitation.

J'aime le son de tes punitions, dis-je avec un sourire narquois.

Alex lève un sourcil et son sourire s'élargit, ouais ?

Je hoche la tête en mordant ma lèvre inférieure, serrant mes cuisses pour essayer de supprimer la douleur entre elles. Alex me sourit et me tire pour que je sois à califourchon sur lui.

Alors qu'appelles-tu harper ? Tu veux arrêter de te battre et voir où ça mène ?

Mais nos papas...

Alex rit, m'interrompant, s'il te plait, ne gâche pas mon érection en parlant de nos parents.

Je lui tapote le bras de façon ludique et souris, désolé, c'est juste que...

Écoute, on n'a pas à le dire à personne maintenant. Cela ne peut être que pour nous. Il me soulève et m'abaisse sur sa bite dure et se penche pour embrasser mes seins avant de mordre doucement mon mamelon.

Je ferme les yeux et gémis bruyamment en le sentant me remplir complètement.

Mmm, qu'appelles-tu harper ?

Je rejette ma tête en arrière alors qu'il pousse vers le haut, putain ! Mmm oui, allons... Mmm faisons-le.

Nous passons le reste de la nuit enveloppés dans le corps l'un de l'autre, le soleil traversant les stores lorsque nous nous blottissons enfin l'un contre l'autre et laissons le sommeil prendre le dessus.

J'entends des coups forts à la porte et je grogne alors que je prends mon téléphone pour regarder l'heure.

Merde!

Que fais-tu? Alex gémit, les yeux toujours fermés.

Nous avons dormi pendant l'alarme !

Alex ouvre les yeux et me sourit, alors viens ici et je te réveillerai.

Il me fait un clin d'œil au moment où les coups à la porte recommencent. Le sourire espiègle d'Alex se transforme en un air renfrogné.

C'est qui bordel ?

Je ne peux pas m'empêcher de rigoler à ses bouffonneries, ce sera du ménage.

Eh bien, dis-leur de se faire foutre et de revenir ici pour que nous puissions encore gâcher ce lit, dit-il en haussant les sourcils.

Je rigole comme une écolière en enfilant mon peignoir et en allant vers la porte. Je suis prêt à dire merci mais non merci mais quand j'ouvre la porte mon visage tombe.

Tu n'es même pas habillé ! Ne pense pas que je te laisse sortir pour le petit-déjeuner cette fois. Allez, bouge-le !

Christian passe devant moi et entre dans la pièce.

Juste où... Oh mon dieu !

Ses yeux sont fixés sur Alex qui est allongé dans mon lit, le drap le recouvrant à peine.

Chrétien du matin, dit Alex avec un sourire arrogant.

Je le savais!

Chapitre 11

Merde sur un bâton!

Je peux expliquer, ai-je lâché.

Christian me sourit, pas besoin. Alex allongé nu dans ton lit est toute l'explication qu'il y a.

Christian...

Oh s'il vous plait ne dites pas, ce n'est pas ce à quoi ça ressemble harper.

Oh c'est définitivement à quoi ça ressemble. N'est-ce pas bébé? dit Alex avec un sourire si large qu'il envahit son visage.

Christian lève un sourcil, bébé ?

Je roule des yeux, Alex, arrête.

Alex est juste allongé là en riant. Je me tourne vers Christian qui essaie de garder un visage impassible mais échoue épiquement.

Attendez que tout le monde en entende parler, sourit-il.

Mes yeux s'écarquillent de panique et Alex se redresse avec un air horrifié, s'exposant presque dans le processus.

Non! Nous crions tous les deux.

Mais...

S'il vous plaît Christian, je plaide.

Christian penche la tête sur le côté, je ne comprends pas, c'est quoi le problème ?

Alex et moi nous regardons.

Christian, je te retrouve en bas, s'il te plaît, ne dis rien à personne.

Mais je...

S'il te plait Christian, je t'en supplie.

Ok d'accord, il soupire. Mais il vaut mieux avoir une bonne raison.

Il commence à partir puis se retourne et pointe entre nous, oh et ne pense pas qu'à la seconde où je pars, tu peux recommencer à faire de la salsa sexy. Si tu me laisses traîner trop longtemps, je bavarde.

La salsa sexy ? Alex demande avec un regard perplexe sur son visage.

Je ne serai pas long, je ris en le poussant hors de la pièce.

Je ferme la porte derrière lui et gémis, c'est un cauchemar !

Alex tend les bras, viens ici.

J'ai laissé Alex me tirer vers lui et me blottir.

Écoute, on savait que ça n'allait pas être facile.

Nous n'avons même pas réussi à garder le secret pendant 24 heures ! je crie.

Alex rit, pour être juste s'il n'essayait pas si fort d'entrer dans ton pantalon, nous nous en serions probablement bien sortis.

J'ai éclaté de rire.

Riez autant que vous voulez. Je suis content qu'il le sache, peut-être que maintenant il te laissera tomber.

Je ne peux pas m'en empêcher alors qu'un autre éclat de rire m'échappe.

Tu n'as absolument rien à craindre là-bas, lui dis-je.

Oh, je ne suis pas inquiet. C'est moi allongé nu dans ton lit, pas lui, dit-il d'un air suffisant. Il l'a mieux pris que je ne le pensais.

C'est parce qu'il ne veut pas être dans mon pantalon.

Allez, je vous ai regardé tous les deux ensemble. Il est totalement en toi !

Je ne suis pas son genre, je rigole.

Tu pensais que tu n'étais pas à moi non plus et regarde-nous maintenant, dit-il en me serrant un peu plus fort.

C'est différent.

Comment?

Je lève les yeux vers Alex et souris, car je n'ai pas l'appendice qu'il recherche.

Je regarde ses yeux s'écarquiller et sa bouche s'ouvrir alors que la réalisation s'installe.

Certainement pas!

Mmm hmm, j'acquiesce.

Pourquoi n'as-tu rien dit ?

Ce n'est pas à moi de le dire.

Je ris alors qu'Alex tire davantage les draps sur lui.

Tu ne comprends pas, j'essayais de lui faire comprendre ce qu'on faisait, pas de le taquiner !

J'ai encore éclaté de rire, c'est ça qui t'inquiète, être un cocktease ?

Tu m'as vu, je suis chaud comme de la merde, dit-il avec un clin d'œil.

Ah arrête.

Il m'embrasse avec une telle intensité que j'oublie ce que je suis censé faire.

Tu as gardé son secret alors il gardera probablement le nôtre, dit-il en s'éloignant.

Je tapote Alex sur son torse nu, je dois aller lui parler.

Je saute dans une douche rapide et commence à m'habiller. Je remarque dans le miroir qu'Alex me regarde depuis le lit.

Jésus, ton corps est incroyable, dit-il et je me retourne pour le voir allongé là en train de se caresser.

Je mords ma lèvre inférieure et il me sourit.

Arrête ça, je lui souris.

Je me regarde dans le miroir et Alex arrive derrière moi toujours nu et très excité. Il me ramène contre lui, enfonçant son érection dans mon cul.

Maintenant, je t'ai enfin. Je ne veux pas te laisser partir, dit-il en écartant mes cheveux et en déposant de petits baisers légers comme une plume dans mon cou.

Mmm tu dois arrêter ou on ne sortira pas de cette pièce, lui dis-je.

Serait-ce une si mauvaise chose ?

Ce type me tue en ce moment. Mon téléphone sonne avec un texte interrompant le moment sexuellement chargé.

Christian : t'as exactement 60 secondes pour bouger ton cul ou je blabla lol

Je soupire, eh bien, si nous voulons en profiter pour nous-mêmes un peu plus longtemps, je dois aller me prosterner.

Je me retourne, déposant un doux baiser sur les lèvres d'Alex. Je me retourne vers le miroir pour vérifier que mon rouge à lèvres n'est pas taché et je vois Alex qui me regarde.

Et tu dois t'habiller, je lui souris.

Alex me frappe le cul me faisant crier. J'attrape mon sac et quitte rapidement la pièce avant de céder et de lui sauter dessus.

Enfin! crie Christian à travers la pièce en me voyant entrer dans la salle à manger.

Désolé.

Non, tu ne l'es pas, me sourit-il.

Je m'assieds en face de lui et prends une gorgée du café que Christian m'a offert et qui est maintenant froid. Christian est assis avec un énorme sourire sur son visage.

Que veux-tu savoir? Je souris en retour.

Tout!

Je prends une profonde inspiration alors que je trouve mentalement comment tout condenser.

Nous nous sommes toujours énervés quand nous nous sommes vus. Ça a empiré il y a quelques mois, je vais commencer à expliquer.

Comment?

Mon meilleur ami et son meilleur ami se sont rencontrés, puis ont décidé qu'ils s'aimaient vraiment.

Christian rigole, je parie que tu as adoré ça !

Hé! Je tape joyeusement sur son bras. Je veux juste qu'elle soit heureuse et Matt a l'air gentil.

C'est parce que tu es un ami incroyable, sourit-il.

Hmm, eh bien pas si étonnant qu'Alex et moi ne puissions pas être courtois l'un envers l'autre autour d'eux. Il y avait tellement de tension.

Oh, nous l'avons tous ressenti, sourit-il.

Il y a eu quelques quasi-accidents sexuellement intenses, mais nous l'ignorions simplement et nous nous lançions des insultes.

Et alors, qu'est-il arrivé?

Ta putain d'ingérence, dis-je en élevant la voix

les yeux des chrétiens s'écarquillent, moi ?

Oui toi! J'ai mis une voix pour me moquer de lui, vous deux devez apprendre à jouer gentiment.

Christian éclate de rire avant de pencher la tête sur le côté.

C'est avec lui que tu as couché, n'est-ce pas ?

J'acquiesce simplement.

Alors tu t'es faufilé depuis ?

Non, dis-je en secouant la tête.

Christian fronça les sourcils, confus.

Il a dit que c'était une erreur et que cela n'aurait pas dû arriver.

Non! Quelle bite! Qu'est-ce que vous avez dit?

J'ai dit que j'étais d'accord et que je devais me finir car il ne m'avait pas satisfait.

Christian recrache le café qu'il vient de boire.

Alors, qu'est-ce qui a changé ? demande-t-il en essuyant la table avec une serviette.

Il a apparemment. Il en a marre de le nier et veut voir où cela mène.

Vous n'avez pas l'air convaincu.

Je lève un sourcil, il me déteste depuis si longtemps et maintenant il veut être avec moi. Allez Christian, tu ne peux pas dire que tu ne serais pas sur tes gardes.

Christian tend la main par-dessus la table, tu as raison, mais tu as aussi dit avant qu'il ne te connaisse pas. Peut-être qu'il aime vraiment la femme qu'il apprend à connaître.

Peut-être, dis-je en haussant les épaules.

Pourquoi vous a-t-il détesté en premier lieu ?

Je soupire, je n'en ai aucune idée. Quelque chose à voir avec nos pères et leur querelle.

Je m'arrête un instant avant de serrer doucement la main des chrétiens, c'est pourquoi nous ne voulons pas que les gens le sachent en ce moment. Si nous devenons publics, nous devrons faire face à une tempête de merde. Nous voulons juste voir ce que c'est sans la pression supplémentaire.

Bien, je ne dirai pas un mot. Je comprends, mais je manque d'argent ici, rit-il.

Quoi ?

Vous deux n'êtes pas très subtils. Notre équipe a pris des paris pour savoir si vous êtes, avez ou allez vous réunir, me sourit-il.

Faire chier ! Je ris.

Je jure ! Tout le monde pense que vous l'avez fait ou que vous le ferez, sauf Stella et Tina qui ont dit absolument pas.

Pour l'amour de la merde.

Christian me sourit, maintenant que je manque d'argent et que je vois le visage de Stella en gardant ton secret, tu dois faire quelque chose pour moi.

Oh oui, ce serait quoi ? Je souris en retour.

Gardez l'esprit ouvert qu'Alex est sincère à propos de ses sentiments.

Mon visage tombe, Christian...

Si vous ne baissez pas votre garde avec lui, vous ne saurez pas si c'est réel.

Je vais y penser.

C'est tout ce que je demande, dit-il avec un sourire chaleureux.

Nous vérifions l'heure et récupérons nos affaires, puis nous nous dirigeons vers le hall pour rencontrer le reste de notre groupe. Je vois Alex debout là pendant que Stella essaie de faire la conversation avec lui. Il lève les yeux et nous voit arriver et me fait un signe de tête subtil me demandant si nous allons bien. Je lui réponds subtilement oui et le regarde essayer de réprimer un sourire.

Alors, comment nous sentons-nous tous ce matin ? demande Malcolm.

Sarah grimace, as-tu besoin de crier ?

ça va Sarah ? Je rigole. La pauvre fille a l'air aussi dure qu'un cul de blaireau.

Tout sauf, dit-elle en se frottant les tempes. J'aurais dû revenir à l'hôtel avec toi hier soir.

Oh allez, tout n'était pas si mal, Patrick lui fit un clin d'œil.

Je regarde Sarah rougir

oh mon Dieu! je souffle.

Bravo Patrick, Alex tapote Patrick dans le dos pendant que Patrick se tient là en souriant.

Je pointe vers Sarah, je veux des détails sur notre pause déjeuner mademoiselle.

Bien sûr, elle rit.

Pouvons-nous vous faire confiance pour vous tenir éloignés l'un de l'autre pendant que vous travaillez ensemble ? Christian sourit.

Patrick lève la main, je ne fais aucune promesse mec.

Nous rions tous alors que Sarah pousse patrick de manière ludique. Ils sont vraiment mignons ensemble.

Ok, alors quel est le plan d'aujourd'hui ? Je demande.

Et si on travaillait par binômes ce matin pour finaliser nos sections puis on déjeunait et après on pouvait tout assembler ? propose Alex.

Sarah lui donne un coup de pouce, ça sonne bien.

Nous avons une meilleure idée, sourit Stella.

Christian roule des yeux, ok, écoutons-le.

Stella et moi avons réservé la salle de conférence. Tina sourit fièrement.

Ok, dis-je alors que je regarde entre eux, ne suivant pas tout à fait où ils veulent en venir.

Pour nous tous, Stella précise.

Eh bien, c'est juste super génial !

Pourquoi? demande Patrick, les sourcils froncés de confusion.

Eh bien, cela signifie que nous pouvons toujours travailler par paires, mais nous sommes également là pour nous entraider, nous dit Stella.

Elle fait valoir un bon point même si nous savons tous que ce n'est pas la raison pour laquelle elle l'a réservé.

Patrick roule des yeux, tout simplement génial.

Ouais, Alex soupire d'accord.

Christian me donne un coup de coude et on essaie de ne pas rire de Patrick et Alex qui ont l'air énervés.

Montrez le chemin, dit Sarah en faisant un geste avec son bras.

Nous suivons à contrecœur Stella et Tina dans la salle de conférence.

Ok, donc nous voulons juste nous étaler un peu, nous dit Tina.

Je sens mon téléphone vibrer et jette rapidement un coup d'œil.

Alex : La seule chose que je veux écarter, ce sont tes jambes ! *émoticône clin d'oeil* xx

Je lève les yeux et vois Alex me sourire. Je souris et secoue la tête juste au moment où nous sommes interrompus.

Alex, vous et Harper pouvez vous asseoir ici, Stella rayonne alors qu'elle nous fait signe de venir vers elle.

Oh, regardes-tu ça, juste à côté de Stella et Tina, Christian chante sarcastiquement.

Souhaitez-moi bonne chance, je lui chuchote.

Christian rit, oh je vais en profiter. Vous deux devez vous comporter pendant qu'elle est partout avec votre homme.

Vous êtes un sadique.

Mais tu m'aimes, il me fait un clin d'œil.

Je lui souris, toujours.

Nous nous asseyons tous à nos tables désignées, grâce à Stella et Tina.

Alors tout va bien avec Christian ? Alex demande discrètement.

Oui, il comprend et va se taire.

Ça tombe bien, un souci de moins, sourit Alex. Maintenant, terminons ça pour que nous puissions sortir d'ici et que je puisse avoir ma mauvaise conduite avec toi.

Le regard dans ses yeux est si intense. Mon corps frissonne d'excitation alors qu'il place sa main sur ma cuisse et mon esprit se met à courir avec toutes les choses qu'il pourrait me faire.

Alex !

Stella crie à haute voix et avec tant d'excitation que tout le monde se retourne pour regarder. Pour être juste avec elle, elle a attendu dix bonnes minutes avant de venir.

Nous avons besoin de votre aide, dit-elle en s'asseyant à côté de lui à notre table.

J'essaie de m'éloigner d'Alex mais il serre ma cuisse plus fort en signe de protestation.

Stella s'entraidait généralement quand nous mettions tout cela ensemble, lui rappelle poliment Alex.

Je sais, mais puisque tu es là, j'ai pensé que ça ne te dérangerait pas, dit-elle en battant des cils et en lui montrant des dents.

Vingt minutes plus tard, ils sont tous les deux toujours assis ici. Chaque fois qu'Alex finit d'expliquer une chose, ils demandent autre chose.

Juste un de plus...

Non, Alex interrompt Stella avant qu'elle ne puisse poser une autre question.

Stella fronce les sourcils, quoi ?

J'ai dit non! Il affirme fermement.

Mais...

Jusqu'à présent, j'ai fait tout ton travail pour toi, dit-il en interrompant Tina. Je n'ai même pas encore eu l'occasion d'aider Harper avec notre section.

Je suis sûr que Harper peut se débrouiller toute seule, Stella me regarde avec un sourire suffisant sur le visage.

Oh je sais qu'elle peut mais ça ne veut pas dire que je vais la laisser faire.

Alex ! crie Stella, attirant l'attention sur nous.

Alex se lève et commence à rassembler notre travail.

Je lève les yeux vers Alex, qu'est-ce que tu fais ?

Nous allons quelque part où nous ne serons pas interrompus.

Vous ne pouvez pas faire ça ! Tina lui crie dessus.

Alex regarde entre Stella et Tina, nous pouvons et nous le ferons. Allez Harper !

Alex quitte la table et s'en va. Je regarde les deux femmes qui me regardent. Je hausse juste les épaules et pars après Alex.

Attendre jusqu'à!

Je bouge mes petites jambes pour le rattraper. Je le rejoins au moment où l'ascenseur s'ouvre.

Eh bien, ils sont complètement énervés contre moi, je rigole.

Les portes de l'ascenseur se referment et Alex me pousse contre le mur et se penche vers moi pour murmurer, nous allons retourner dans ta chambre, terminer notre section le plus vite possible puis je passe le reste du temps enfoui en toi.

Ma respiration se coupe alors que ses mots allument un feu en moi. Il dépose quelques baisers dans mon cou avant de me regarder dans les yeux.

Vous me comprenez?

Mes yeux s'écarquillent de surprise à la fois de voir à quel point il est dominant et à quel point ça m'excite.

Je hoche lentement la tête, oui.

Et c'est exactement ce que nous faisons. À la seconde où notre travail est terminé, nous nous griffons les uns les autres et nous nous rendons fous. Aucun de nous ne veut quitter cette bulle.

Nous rencontrons les autres comme convenu et à la seconde où le projet est terminé, nous faisons nos excuses et nous nous retrouvons dans ma chambre où nous passons le reste de notre temps enveloppés les uns dans les autres.

Chapitre 12

Nous sommes enfin vendredi et je suis en train de rédiger une nouvelle proposition lorsque mon assistante entre dans mon bureau.

Je suis vraiment désolé de vous déranger, Mlle Henderson.

Sadie combien de fois, s'il vous plaît appelez-moi Harper, je lui souris.

Sadie sourit en retour, désolée.

Que puis-je faire pour vous ?

Le sourire de Sadies tombe, eh bien, euh, M. Munro est dehors.

Hes quoi maintenant ?

Il a dit que vous aviez une proposition conjointe à propos de laquelle vous deviez vous rencontrer, mais il n'y a rien dans votre agenda.

Merde ! Je fais face à la paume. C'est vrai, j'ai complètement oublié.

Sadie fronce les sourcils, ce n'est pas ton genre.

Non, mais quand il s'agit de M. Munro, j'essaie de l'oublier dès que toute interaction est terminée.

Sadie rit légèrement alors qu'elle essaie de rester professionnelle.

Je lui ai dit qu'il n'y avait pas de rendez-vous pris et qu'il devrait partir, m'a-t-elle informé.

Laissez-moi deviner, il ne l'a pas fait.

Sadie secoue la tête.

Je gémis bruyamment, connard.

Sadie rigole, voudriez-vous que j'obtienne la sécurité ?

Je soupire, non ça va. Tu ferais mieux de l'envoyer.

Sadie part et quelques secondes plus tard, elle revient dans le bureau avec Alex derrière. Nous nous regardons tous les deux du regard.

Monsieur Munro.

Mlle Henderson.

La pauvre Sadie regarde juste entre nous. Je suis habitué à son comportement d'enfoiré, elle ne l'est pas.

C'est impoli de faire attendre les gens, rétorque-t-il.

Si vous avez un autre endroit où vous devez être, partez, dis-je en faisant un geste vers la porte.

Alex roule des yeux, crois-moi, je ne serais pas là si je n'en avais pas besoin.

Je me tourne vers Sadie et lui adresse un sourire chaleureux. Merci Sadie, tu n'as pas besoin de rester.

Es-tu sûr ? Cela ne me dérange pas.

C'est bien, honnête. Mais merci.

Sadie me fait un doux sourire avant de quitter la pièce. Je ne peux pas m'empêcher de remarquer le regard sale qu'elle lance à Alex avant de partir, fermant la porte derrière elle.

Allons-y alors allons-y, souffla Alex.

Si vous insistez.

Je suis assise sur le bord de mon bureau et il commence à marcher vers moi.

Pourquoi dois-tu toujours être aussi sarcastique !

Probablement la même raison pour laquelle vous devez toujours être si pompeux ! je rétorque.

Nous nous regardons alors qu'il se tient devant moi, un sourire se courbant sur le côté de sa bouche.

Alex sourit, quelqu'un devrait t'apprendre les bonnes manières !

Laisse-moi deviner, tu es ce quelqu'un !

D'un mouvement rapide, il ouvre mes jambes et se tient entre elles. Il se penche si près que je sens son souffle contre ma peau.

Vous pariez que c'est votre cul sexy.

C'est dangereux, je lui murmure.

Je devais te voir, murmure-t-il en me caressant doucement la joue.

Nous sommes dans deux mois dans ce secret... Je ne sais pas ce que c'est. Ce que je sais, c'est que je passe le meilleur moment de ma vie et que le secret ne fait qu'ajouter à l'excitation.

Bien qu'après le dernier séminaire où j'ai dû me cacher dans la salle de bain d'Alex pendant que Stella l'essayait avec lui pendant cinquante putains de minutes alors qu'il tentait de la faire partir, j'ai failli me mettre à fond.

Je me mords la lèvre inférieure, c'est ça ?

Mmm hmm, il effleure de ses lèvres mon cou, m'embrassant et me mordillant alors qu'il fait courir ses mains sur mes cuisses et sous ma jupe.

Tu me verras ce soir, je lui chuchote.

Alex laisse échapper un grognement sourd, je te veux maintenant.

Ses mains ont atteint mon string et sans avertissement il le déchire et éloigne de moi le tissu déchiré.

Mes yeux s'écarquillèrent, était-ce bien nécessaire !

Alex sourit, calme-toi femme, laisse-moi t'expliquer pourquoi ! Il crie en retour, continuant la mascarade.

Il serre le tissu de ma jupe et la remonte autour de ma taille. J'attrape sa ceinture et le rapproche de moi. Je défais sa ceinture et son bouton avant de baisser son zip.

Alex me sourit avant de chuchoter, tu vas devoir te taire.

Tu vas devoir être rapide, je souris en retour.

Il lève un sourcil et me lance son sourire coquin et sexy puis glisse un doigt en moi.

Je mords l'intérieur de mes joues dans un effort pour étouffer mes gémissements tandis qu'Alex retire son doigt et soulève mes jambes, me balançant sur le bord de mon bureau.

Tiens bon, murmure-t-il et je m'agrippe à ses bras alors qu'il s'enfonce profondément en moi. J'enfouis ma tête dans son cou pour réprimer le cri que je veux désespérément pousser.

Jésus! Je chuchote.

Alex rit, tu as dit d'être rapide.

Il commence à me pilonner profondément et fort et je n'avais pas prévu à quel point il serait difficile de se taire.

Merde! Alex chuchote et j'enfonce mes ongles dans ses bras alors que je mords ma lèvre inférieure. Nos yeux se connectent, ce qui nous fait nous sourire. Je peux sentir mon orgasme monter et je sais que je vais avoir du mal à me taire.

Tu... Besoin... D'embrasser... Moi, dis-je à bout de souffle.

Alex fronce les sourcils, quoi ?

Je suis du cumin et tu as besoin de... Oh putain ! Je chuchote.

Euh... Jésus ! chuchote Alex.

Alex attrape mes cheveux à l'arrière de ma tête et m'embrasse fort alors que je me resserre autour de lui. Je gémis en sentant mon orgasme me traverser et mes jambes tremblent alors que je me resserre autour de sa bite dure et palpite contre lui. Alex n'est qu'à quelques secondes derrière moi alors que je le sens perdre le contrôle. Ses poussées deviennent erratiques et sa prise sur moi se resserre alors qu'il grogne à travers son propre orgasme.

Nous restons en position quelques instants, nos fronts appuyés l'un contre l'autre en essayant de reprendre notre souffle

Ouah! Alex sourit.

Chut, je rigole.

Alex se retire de moi et nous nous nettoyons rapidement.

Vous êtes vraiment incroyable ! crie Alex alors qu'il essaie de faire semblant de tout à l'heure, puis il me sourit et murmure, j'ai hâte de voir ce soir.

Moi! Vous pouvez parler! je crie en retour. Je me prépare chez vics et je viens avec elle. dis-je doucement.

J'ai hâte d'y être, murmure-t-il en se penchant pour me faire un bisou sur les lèvres. Il s'éloigne de moi et se tourne vers la porte, tu es tellement exaspérant ! Il crie derrière lui.

Vous vous épanouissez à obtenir une réaction !

Il se retourne et me fait un clin d'œil avant d'ouvrir la porte puis sort brusquement en claquant la porte derrière lui. Je ris tout seul et retrouve rapidement mon calme quand on frappe à ma porte et que Sadie entre.

Est-ce que tu vas bien?

Ouais, je peux gérer Alex Munro.

Vous êtes toujours comme ça tous les deux ? demande-t-elle en regardant par la porte.

Quand nous ne travaillons pas, nous avons tendance à crier et à nous jurer davantage, je dis avec un hochement de tête.

Ouah!

Je ris au regard sur le visage de Sadie, ouais, wow.

Le reste de la journée s'est envolé assez rapidement et avant que je m'en rende compte, j'étais à Vics avec une bouteille de vin en train de se préparer pour notre soirée.

Merci d'être venu ce soir.

Pas de problème, je hausse les épaules. Matts un gars sympa.

Je craque vraiment pour lui, Harper, dit Vic avec un sourire timide.

Oh mon Dieu! Victoria! je hurle.

Vic se moque de moi, arrête ça !

Pas question, c'est énorme hun !

Je sais, je sais, dit-elle en regardant ses doigts alors qu'elle les tord.

Alors, qu'est-ce qui ne va pas? Je lui demande.

J'ai juste... Qu... Et s'il ne ressent pas la même chose ?

Mes yeux se sont agrandis, vous vous moquez de moi ? Vic, Matt t'adore. Vous n'avez qu'à voir la façon dont il vous regarde pour savoir à quel point il tient à vous.

Vraiment?

Je pose mon verre de vin et me dirige vers ma meilleure amie pour lui faire un câlin sincère.

Vraiment chouette.

Ok, alors peut-être que me pencher pour réconforter mon ami alors qu'il n'était qu'en sous-vêtement n'était pas la meilleure idée. Alors que je me redresse, Victoria attrape mon poignet.

Attendez.

Je commence à paniquer, quoi ?

Qu'est ce que c'est?

Qu'est-ce que c'est ? je demande alors que je panique intérieurement.

Ce! Vic attrape ma jambe et pointe l'intérieur de ma cuisse

merde!

Harper Henderson, c'est une bouchée d'amour !

Avant que l'un de nous puisse dire ou faire quoi que ce soit, on frappe à la porte d'entrée.

Vic me pointe du doigt avec un sourire effronté, ce sera Becca, je reviens tout de suite.

J'attrape rapidement un peignoir et me couvre avant que Vic et Rebecca ne reviennent. Nous sommes devenus assez proches de Rebecca ces derniers mois, elle est adorable et elle ne m'a jamais traité durement à cause de mon nom.

Tu as bien chronométré Becca, dit Vic alors qu'ils entrent tous les deux dans la pièce. Vic se tourne vers moi et sourit, allez-y, montrez-lui.

Perdez-vous, je rigole.

D'accord, d'accord... Attrapez-la !

Ils viennent tous les deux me charger, me faisant tomber sur le lit. Becca est à cheval sur mon ventre pendant que la victime attrape mes jambes

Qu'est-ce que tu fais, casse-toi ! dis-je en riant d'eux deux.

Regarde ça! crie Vic.

Jésus!

Je panique légèrement en imaginant Rebecca jeter un coup d'œil et reconnaître le travail pratique de son frère.

Sacré harpiste de l'enfer ! Elle couine.

Merde, merde, merde !

Il aime sérieusement vous grignoter, n'est-ce pas ? Becka rit.

Phew!

Vic rigole, il ne fait pas la moitié. Regarde ça, il y a une trace d'eux jusqu'à elle...

Ok assez, descendez!

Les filles me quittent et s'assoient en face, me fixant.

Quoi?

Vic sourit, ne nous donne pas ça.

Nous voulons des détails, dit Becca en haussant les sourcils.

Croyez-moi, ce n'est pas le cas !

Qui est-il? demande Vic.

Je hausse les épaules, juste un mec.

Mmm hmm et depuis combien de temps cela dure-t-il ? Becca chante avec un large sourire.

C'est assez récent.

D'accord... Et ? dit Vic en me faisant signe de divulguer plus.

Et quand ?

Je n'ai pas enregistré le sourire massif que j'ai collé sur mon visage en ce moment.

Oh mon Dieu, il est si bon, n'est-ce pas ? Becca fait un clin d'œil.

Je peux sentir mes joues commencer à brûler, je... Qui...

Ton visage te trahit chérie, Vic me sourit.

Merde !

Pourquoi ne nous l'as-tu pas dit ? Vic me demande, ses yeux m'étudient. On se dit tout donc elle est forcément méfiante.

Je soupire, parce que je savais que vous voudriez des détails et que tout est encore nouveau, je ne veux pas encore partager de détails.

Vic hoche la tête, je peux respecter ça.

Je ne peux pas!

Rébecca ! Vic et moi disons à l'unisson.

Becca rit, désolé mais je veux tout savoir sur le mec qui t'a fait ça et je veux savoir s'il a un frère.

Oh Rebecca Hunny tu n'en as vraiment pas.

Les filles essaient de me soutirer des détails pendant que nous nous préparons. Je donne très peu car je ne veux pas que ce soit gênant si et quand Alex et moi décidons de le dire aux gens.

Ok Matt juste un texto pour dire que lui et Alex sont au club. Êtes-vous prêtes les filles ?

Ouais, j'ai fini, je réponds en défroissant ma robe moulante.

Becca loup siffle, eh bien regarde-toi magnifique!

Bébé tu es magnifique, Vic me fait un clin d'œil.

Merci mesdames. Matts va penser que c'est son anniversaire et Noël en un avec toi comme ça ! Aussi, nous ferions mieux d'avertir le personnel de la porte que les hommes vont se battre pour Becca ici.

Vic rit, merci ma belle. Pourquoi n'invitez-vous pas M. Secret sexy ?

Oh ne t'inquiète pas Vic, l'enfer soit là.

Il a des projets avec ses amis ce soir.

Peut-être que la prochaine fois, Becca hausse les épaules.

Ouais peut-être.

Heureusement, les filles ont laissé tomber les questions, enfin jusqu'à ce que nous arrivions au club.

Chapitre 13

Wow mesdames, vous êtes incroyables toutes les trois ! dit Matt en nous saluant.

Merci bébé, dit Vic en se penchant et en embrassant sa joue.

Matt prend la main de la victime et recule pour la regarder attentivement.

Non, merci ma belle. Waouh, regarde-toi !

Je regarde Matt étouffer la victime de baisers et de compliments, la faisant rougir. C'est super de la voir si heureuse.

Joyeux anniversaire Matt, dis-je en lui tendant son cadeau.

Merci Harper. Putain de femme, es-tu sortie pour impressionner quelqu'un ce soir ?

J'essaie vraiment de ne pas regarder Alex. Je le vois cependant du coin de l'œil. Il a l'air sans voix. Les yeux grands ouverts et la bouche ouverte sans voix.

Oh, elle a bien impressionné quelqu'un, Vic sourit.

Les yeux de Matt s'écarquillent et il regarde entre la victime et moi, vraiment ? OMS?

Je lève les yeux au ciel et ris, est-ce qu'on a vraiment besoin d'en reparler ?

Elle ne nous le dira pas, se plaint Becca.

Alors, comment savez-vous qu'il y a quelqu'un? demande Alex aux filles en attrapant son verre sur la table.

Becca sourit, oh, tu sais, juste la traînée de suçon de l'intérieur de sa cuisse jusqu'à elle...

Rébecca !

Alex recrache son verre juste au moment où je crie rebecca.

Matt lève un sourcil, ça va mec ?

Alex tousse, ouais... Je... Je ne m'attendais pas à ça. Il se frappe la poitrine tout en continuant à tousser.

Matt se tourne vers becca.

L'as-tu vu? Il rit.

Oh ouais, Vic hoche la tête. Qui que soit ce type, il revendiquait notre fille ici. Harper soulève un peu ta robe pour que les mecs puissent voir !

Absolument non !

Matt regarde entre Alex et moi.

Alors, comment s'appelle-t-il ? Matt me demande.

Elle ne nous le dira pas, boude Becca.

Pourquoi pas?

Je parie qu'il n'existe même pas, se moque Alex.

Quelqu'un a fait ces marques sur elle ! Vic s'en prend à lui.

Ce n'est vraiment pas grave les gars. Nous voulons juste faire connaissance avant de présenter nos amis, leur dis-je.

Eh bien, on dirait qu'il commence à te connaître, chéri ! Vic me fait un clin d'œil.

Becca rigole, eh bien sa langue et sa grosse bite c'est quand même.

Cette fois, c'est au tour de Matt de s'étouffer et Alex reste assis là, complètement choqué.

Rébecca ! Je rougis.

Comment savez-vous qu'il a une grosse bite ?

Mes yeux s'écarquillent, Matt !

Je veux entendre ça aussi ?

Nous nous retournons pour voir Alex assis sur le bord de sa chaise.

Non, non euh, arrêtez! dis-je en agitant les mains.

Vic rit, aww hun nous sommes juste en train de rire.

Ouais à mes dépens, maintenant arrête ça, s'il te plait. Je ne veux plus en parler.

Matt sourit, même pas sa grosse bite ?

Pas même sa grosse bite.

Ils me sourient tous et je réalise que Matt m'a piégé. Même Alex a un sourire narquois sur son visage.

C'était juste méchant, dis-je alors que j'essayais mais je n'arrivais pas à avoir l'air blessé.

Matt rit, aww allez harper, nous sommes juste intrigués.

Assez juste, je hausse les épaules. On devrait peut-être parler de cette chose que tu fais pour visiter où tu...

Waouh ! Ok, vous avez gagné, j'appelle une trêve ! dit Vic en essayant rapidement de couvrir ma bouche.

Mais...

Crois-moi bébé, Vic interrompt Matt.

Merci, dis-je avec suffisance.

Laisse tomber mon homme et sa technique. Vic sourit.

Eh bien laissez mon homme et sa grosse bite tranquille !

Ils se mettent tous à rire. Je l'ai refait, complètement tombé dans leur piège.

Je les désigne tous, si cela ne vous dérange pas, je suis parti pour trouver de nouveaux amis.

Aww hun, ne pars pas, dit Vic alors qu'elle fait sa meilleure moue trop dramatique.

Nous ne le pensions pas... En quelque sorte, Becca rit.

Je les éteins et je ris en m'éloignant vers le bar, nous offrant une tournée de boissons.

La nuit se passe plutôt bien et Alex et moi nous assurons de continuer notre numéro sans gâcher la nuit pour tout le monde.

Vic et Matt sont l'un sur l'autre d'un côté de la table VIP tandis que Becca et un mec qu'elle a ramassé se sucent le visage de l'autre côté.

Je fais défiler les réseaux sociaux sur mon téléphone lorsqu'un SMS arrive.

Alex : Tu veux sortir d'ici ? X

harper : putain ouais ! X

alex : je te retrouve à la porte du personnel à côté des toilettes x

Je mis rapidement mon téléphone dans ma pochette, avalai le reste de mon verre et me levai de table.

Ok les gars, je vais y aller.

Vic s'éloigne de Matt et me regarde, oh non, ne pars pas !

Je ris, même si j'aime passer du temps avec la majorité d'entre vous, je ne suis pas sur le point de m'asseoir ici et de jouer à la cinquième roue.

Alex est toujours là, fait remarquer Matt. Il n'a pas tiré non plus.

La façon dont Matt nous a observés toute la nuit, soit il sait pour nous, soit il pense le savoir.

Comme je l'ai dit, je préfère ne pas jouer à la cinquième roue.

Aww allez, tu peux nous le dire. Vous partez rencontrer M. Grosse bite n'est-ce pas ? dit Becca en agitant ses sourcils.

Ok, ouais je suis, je rayonne. Il envoie des textos et puisque vous êtes tous confortablement installés, j'ai pensé pourquoi pas.

Ooh, tout à fait raison hunni, Vic sourit.

Juste à ce moment, Alex se lève et Matt fronça rapidement les sourcils.

Où diable vas-tu ?

Je vais me trouver une femme. Vous êtes tous les uns sur les autres et même un pantalon prissy manquant est un moyen d'en obtenir, autant m'amuser pour la nuit, sourit Alex.

Putain comment tu viens de m'appeler ?

Merde, dit Vic en couvrant son visage avec ses mains.

Becca soupire, ça allait si bien.

Miss Prissy Pants, répète Alex.

Putain, qu'est-ce que tu saurais ? je lui crie dessus.

Oh allez, tu essaies de me dire que tu t'es lâché dans la chambre ? Vous ne pouvez en aucun cas abandonner le contrôle de quelque chose, même si cela signifierait que vous ayez le meilleur orgasme de votre vie. Je parie que vous refusez même de vous laisser jouir plus d'une fois parce que Dieu interdit que quelqu'un puisse vous faire jouir plus que vous ne pourriez le faire !

Alex ! Becca crie à son frère.

Je lui souris, ça va becca, tes frères sont juste jaloux.

Jaloux ? Il se moque.

C'est exact. Les filles ont tapé sur une grosse bite toute la nuit et ça te tue. Ça te tue parce que je ne donnerai rien. Même si vous aimeriez croire que je suis complètement vanillé dans la chambre, il y a une partie de vous qui se demande, se demande si j'aime ça dur ou si j'aime être ligoté et abandonner le contrôle. Je me demande si je me déchaîne avec des jouets ou si je suis une sale petite pute pour la nuit.

Les yeux de Matt s'écarquillent, Jésus, maintenant tu me fais me demander !

Si tu veux vraiment savoir, tu n'as qu'à demander ! Je crie après Alex.

Alex rigole, je connais déjà la réponse... Tu fais faire un parcours du combattant à ce pauvre bâtard juste pour rentrer dans ta culotte !

Je lui souris, j'aurais besoin de porter une culotte pour qu'il l'enlève.

Harper Henderson ! Vic halète.

Matt et Alex se tiennent là, la bouche ouverte sous le choc, Rebecca et son homme rigolent dans le coin et Victoria sourit de fierté.

Maintenant, si ça ne vous dérange pas, j'ai une bite qui m'attend pour monter ! Et sur ce, je m'éloigne et me dirige vers la porte du personnel.

Environ cinq minutes plus tard, je vois Alex se diriger vers moi. Il ressemble à un homme en mission.

Je commence à rire, alex je...

Tu as tellement d'ennuis, petite coquine, grogne-t-il en m'interrompant.

Il me soulève et me jette par-dessus son épaule. Je laissai échapper un cri que personne n'entend heureusement car nous franchissons la porte du personnel en quelques secondes.

Fuck harper, tu m'as rendu fou dans cette petite robe sexy toute la nuit, il passe sa main sur ma jupe et me caresse avant de glisser un doigt en moi.

Je gémis alors qu'il glisse son doigt vers l'intérieur et l'extérieur de moi.

Harper, où sont tes sous-vêtements ?

Mmm, ils euh... Ils sont dans mon sac à main.

Il retire son doigt de moi puis me pose devant lui. Nous sommes sur le toit du bâtiment, juste au bord.

Alors est-ce vrai ? Il m'a demandé.

Est-ce que c'est vrai ?

Il me regarde avec son sourire sexy, que tu veux être ma sale petite pute pour ce soir ?

Quelque chose dans la façon dont il dit m'envoie des frissons excitants dans le dos.

Pas seulement pour ce soir, dis-je avant de me mordre la lèvre de façon séduisante.

Putain de harpiste !

Il embrasse et suce mon cou alors qu'il enfonce à nouveau ses doigts en moi.

Alex ! Mmm, putain !

Est-ce que ça fait du bien bébé?

Je gémis en réponse et incline ma tête plus loin sur le côté pour lui donner plus d'accès à mon cou.

Je ne t'entends pas Harper, grogne-t-il dans mon oreille.

Alex enroula ses doigts en moi, caressant mon sweet spot alors qu'il suçait fort mon cou, prévoyant clairement de laisser une autre marque.

Oui! Continue Alex, mmm.

Il continue de me toucher avec ses doigts alors qu'il s'approche pour m'embrasser. Je me suis complètement perdu alors que je le laissais dominer ma bouche avec sa langue. Il gémit dans notre baiser et déplace son pouce sur mon clitoris, le frottant doucement tout en continuant à travailler ses doigts en moi. J'attrape son haut et tire dessus pour le lui enlever. Je fais glisser mes ongles le long de son corps alors que je me serre autour de ses doigts et hurle de joie.

Alex, oui ! Merde!

Nous nous regardons dans les yeux alors qu'il se lèche les doigts et que je défais son jean. Je tombe à genoux et tire son jean et son boxer avec moi.

Quelqu'un d'heureux de me voir, je souris alors que sa bite se dresse fièrement au garde-à-vous devant moi.

J'ai pensé à avoir tes lèvres enroulées autour de ma grosse bite toute la nuit, me sourit-il.

Je ris alors qu'il faisait référence au surnom que la fille lui avait donné plus tôt.

Une fois que tu auras travaillé ta bouche autour de ça, je vais l'enterrer au plus profond de toi.

Mon Dieu, sa sale bouche va le faire pour moi ce soir. Je tiens son épaisseur dans ma main et le caresse plusieurs fois avant de le lécher de la base à la pointe. Je passe ma langue sur le bout plusieurs fois puis fais glisser ma bouche le long de sa hampe.

Jésus putain de femme !

Il place ses mains sur le mur derrière moi, me laissant garder le contrôle. Je fais tournoyer ma langue autour de lui alors que je balance ma tête d'avant en arrière, frôlant légèrement ses dents sur son sexe. Puis, sans prévenir, j'ai accéléré le rythme et je l'ai pris par surprise.

Oh mon Dieu! Il crie alors qu'il attrape chaque côté de ma tête, agrippant mes cheveux entre ses doigts et commence à pousser dans et hors de ma bouche. C'est ça! Merde! Bonne fille, laisse-moi baiser ta bouche bébé! Pouah! Pouah!

Je gémis autour de lui en laissant les vibrations le traverser et je lève ma main pour masser ses couilles.

Merde!

Soudain, il se retire et me soulève sur mes pieds, me faisant pivoter pour que je fasse face à une belle vue sur la ville avec toutes les veilleuses allumées. Je ne cherche pas longtemps car sans prévenir Alex m'a penché sur le bord. C'est une bonne chose que je n'aie pas peur des hauteurs sinon je me serais évanoui.

J'ai besoin d'être en toi ! Il grogne.

Dépêche Alex !

Il soulève ma robe autour de ma taille et agrippe mes hanches tout en utilisant son pied pour écarter davantage mes jambes. Il me percute si fort que je perds complètement mon souffle.

Pouah!

Merde!

Alex passe ses mains sur les côtés de ma robe et masse mes seins, me tirant plus droit.

Fuck youre si serré!

Baise-moi plus fort alex!

Alex me frappe plus fort et c'est incroyable. Il me frappe aux bons endroits avec la bonne force.

J'y suis presque bébé, il me grogne.

N'arrête pas Alex ! Ne t'avise pas de t'arrêter putain !

Oh merde! Harper pouah !

Alex perd le contrôle alors qu'il marche derrière moi et sa bite se contracte en moi alors qu'il jouit. C'est assez pour m'envoyer au bord du gouffre.

Alex oui ! Ouiiii !

Mes jambes se dérobent et Alex me tient fermement alors que mon corps tremble sous la force de mon orgasme. Une fois que je suis stable, il se retire doucement, me faisant frissonner et gémir. Il fixe ma robe puis m'assied jusqu'à ce qu'il se soit réparé puis me tire sur ses genoux.

Il embrasse mon front et me regarde, tu vas bien ?

Je me sens un peu tendre mais je vais bien, je souris.

Alex fronce les sourcils, ouais nous n'avons jamais été aussi durs que ça avant, peut-être...

Je presse mon doigt contre ses lèvres pour le faire taire.

C'était incroyable, j'ai souri.

Ouais?

Ouais, répétai-je pour le rassurer et il me serra dans ses bras.

Je pose ma tête sur sa poitrine et soupire, Matt sait, n'est-ce pas ?

Il soupçonne.

Je me blottit plus près de lui.

Alex me caresse les cheveux, il n'a rien dit mais je peux le dire à la façon dont il nous regarde.

C'est ce que je pensais.

Et les filles ? Il demande.

Pas un indice. Je me sentais si mal à l'aise quand votre sœur m'interrogeait pour essayer d'obtenir des détails.

Alex rit, j'imagine.

Ce n'est pas drôle, elle n'arrêtait pas de vouloir en savoir plus sur ta bite.

Cela ne fait que le faire rire plus fort, elle va être mortifiée quand elle le découvrira.

Oh donc ça grince des dents.

Comment ont-ils même vu les marques?

Je vous ferai savoir que je les porte avec fierté ! Je souris.

Alex rit et me serre un peu plus fort.

Resteras-tu avec moi demain ? Il demande.

Seulement si je peux en tirer un orgasme.

Hmm seulement si tu seras ma sale petite pute.

J'ai giflé sa poitrine de manière ludique, oh non, c'était une grimace totale n'est-ce pas ?

Enfer non ! Tu avais ma bite si dure que j'étais sûr que notre secret était révélé.

Je ris quelques secondes avant de lâcher un soupir.

Ugh, je devrais y aller.

Textez-moi quand vous êtes à la maison.

Je vais.

Alex me ramène au club principal et je me dirige vers une voiture qu'Alex m'attend déjà. Ce n'est pas long avant que je sois à la maison et je décide d'envoyer à Alex un texto de moi dans ma tenue de nuit sexy.

Harper : J'aimerais que tu sois là... Xx

alex : C'est comme ça que tu vas dormir ? Xx

harper: ouais xx

alex : Merde harper ! Qu'est-ce que je suis censé faire avec ce dur? Xx

harper : utilise ta main jusqu'à ce que je puisse te donner une meilleure version demain xx

alex : vous avez des problèmes avec un t majuscule xx

harpiste : lol nuit xx

alex: nuit xx

harpiste !

Harper lève-toi !

Harpiste !

Papa?

Harper, qu'est-ce qui se passe, bordel ?

Je ne sais pas ce qui se passe, mais je vois qu'il est 9 heures du matin, ce qui est trop tôt pour s'occuper de quoi que ce soit. De plus, mon téléphone n'arrête pas de sonner.

Papa, pourquoi cries-tu ?

À vous de me dire!

Il enfonce sa tablette dans mon visage et je frotte le sommeil de mes yeux avant de le regarder.

Qu'est-ce que le...

Bien?

Je... Non... Je... Ça ne peut pas arriver, c'est un cauchemar, un horrible horrible cauchemar !

J'ai lu le titre du reportage que mon père avait ouvert. Des rivaux commerciaux surpris en train de se rassembler sur le toit. Ces jeunes sont-ils la version 2020 de Roméo et Juliette ? Il continue sur la façon dont nos pères se détestent depuis des années et se demande ce qu'ils pensent de notre relation. Il y a une immense photo qui accompagne l'histoire et heureusement le mur sur le toit couvre ma dignité mais on voit clairement ce que nous faisons.

Merde!

Chapitre 14

Harpiste !

Je regarde mon père, dont le visage est rouge tomate alors qu'il me fixe. Mon téléphone sonne et sachant que ça va l'énerver, je réponds quand même.

Appel téléphonique - harper : h... Allo ?

Appel téléphonique - victoria : harper ? Oh mon dieu, enfin ! Quel bordel !

Appel téléphonique - harper : je... euh... je...

Appel téléphonique - Victoria : vous l'avez vu ?

Appel téléphonique - harper : mon père vient de me montrer l'article

appel téléphonique - victoria : l'article ? Oh hunni... Il y a une vidéo

appel téléphonique - harper : quoi ! Qu'entendez-vous par vidéo ?

C'est vrai Harper, tu es maintenant une putain de star du porno !

Appel téléphonique - victoria : qu'est-ce qu'il vient de vous dire !

Oh merde, Vic est énervée et prête à attaquer mon père.

Appel téléphonique - harper : je te rappellerai chéri

J'ai raccroché mais j'ai remarqué une merde de messages et d'appels manqués.

Tu as vraiment merdé harper ! Votre réputation est ruinée, notre réputation est ruinée ! Papa m'aboie dessus.

Je me frotte les tempes dans un effort pour calmer ma frustration, c'est vrai papa parce que tout tourne autour de toi !

C'est toi qui as ouvert tes jambes !

Je sursaute sous le choc de la manière dont il vient de me parler. Comment ose-t-il putain !

Tu couches avec plus de monde que moi ! je lui crie dessus.

Pas sur le toit d'un putain d'immeuble ! Il me répond en rugissant.

Ok, il m'a là.

Tu devais juste coucher avec lui, n'est-ce pas !

Je prends une profonde inspiration alors que mon père continue de me crier dessus. Je ne fais pas ça avec lui.

Papa, sors.

Vous aviez... Attendez, quoi ? Papa fronce les sourcils alors qu'il me regarde avec confusion.

J'ai dit sortez.

Pas question, je dois réparer ça ! Il se moque.

Sortir!

J'ai besoin de temps pour réfléchir. Je sors brusquement du lit et le pousse hors de ma chambre avant de verrouiller ma porte. Je prends immédiatement mon téléphone pour envoyer un texto à la victime.

Harper : Pouvez-vous venir me chercher ? Xx

Victoria : En route. Endroit secret? Xx

harper: ouais xx

J'ai rapidement fait un sac et mis quelques vêtements. Je sors sur mon balcon et grimpe dessus, descendant le tuyau sur le côté de la maison. J'ai utilisé cette voie pour m'éclipser plusieurs fois depuis mon adolescence. Je me fraye un chemin le long du chemin qui traverse la propriété et utilise l'échelle cachée pour escalader le mur. À mon grand soulagement, la victime attend déjà de l'autre côté. Je saute dans la voiture et Vic se penche pour me serrer dans ses bras.

Tu vas bien bébé ? demande-t-elle, les yeux pleins d'inquiétude.

Je soupire, je n'ai toujours pas eu le temps de comprendre ce qui se passe.

L'AS tu vu? Vic me demande.

Vu quoi ?

Le harpiste vidéo.

Vic, je me suis littéralement réveillé avec mon père qui me criait dessus, puis tu as téléphoné et maintenant je suis là. Je suis tellement...

Mon téléphone se met à sonner, m'interrompant.

Appel téléphonique - harper : bonjour ?

Appel téléphonique - harper : pas de commentaire !

Je raccroche le téléphone et gémis bruyamment.

Bon sang, c'est les journalistes qui appellent !

Mon téléphone se remet à sonner et quand je regarde l'écran, le nom de mon père clignote.

Eh bien, mon père sait que je suis parti. J'éteins mon téléphone et m'assieds en soupirant, quel putain de gâchis.

Je t'emmène chez Matts hun, ton père sait où j'habite, dit Vic.

Merci.

J'attends qu'elle pose des questions sur Alex et moi mais elle ne le fait pas. Dans les dix minutes, nous nous arrêtons au tapis où il nous accueille à la porte.

Salut bébé. Harper, ça va ? demande Matt en m'attirant pour un câlin.

Salut Matt, dis-je en le serrant dans mes bras. Quand je m'écarte, je hausse les épaules, hein... Honnêtement, je ne sais pas.

Alex a essayé de te joindre, me dit Matt.

J'ai dû éteindre mon téléphone, je n'ai même pas eu l'occasion de le regarder. Est-ce qu'il va bien ?

Il a été convoqué à une réunion par son père.

Merde! La porte s'ouvre et Matt part pour y répondre. J'entends des voix quand ils reviennent mais ce n'est pas Alex.

Christian? Mes yeux s'écarquillent d'étonnement alors qu'il se tient devant moi.

Oh mon dieu, tu vas bien ? J'ai pris le premier vol dès que je l'ai vu, dit-il en me serrant dans ses bras et en me serrant fort

Comment êtes-vous venu ici? Je lui demande.

J'ai essayé votre téléphone, mais je n'ai pas pu vous joindre, alors j'ai appelé Alex, il m'a donné l'adresse.

Je n'arrive pas à croire que tu sois là, dis-je en me retirant de l'étreinte.

Tu es mon ami, je devais venir te voir.

Je me sens devenir émotif alors qu'une boule se forme dans ma gorge alors je souris à Christian.

As-tu parlé à Alex ? demande Christian.

Pas encore, dis-je en secouant la tête.

Christian jette un coup d'œil à Vic et Matt puis me regarde, avez-vous... Vous savez... Vu la vidéo ?

Je secoue à nouveau la tête, non.

Je peux sentir les yeux sur moi et quand je regarde autour de moi, tout le monde me regarde avec pitié.

Avez-vous vu les gars ? Je demande.

Ils baissent chacun la tête et regardent le sol et je suis accueilli par un silence complet. Je vais prendre ça pour un oui alors.

Christian me regarde, seriez-vous énervé si je l'avais fait ?

Je ne suis pas sûr, je hausse les épaules.

Eh bien, lorsque vous déciderez de la réponse à cette question, faites-le moi savoir et je vous dirai si je l'ai vue.

Il essaie seulement de me remonter le moral, mais tout est tellement écrasant. Je sens mes yeux se remplir et avant que je ne m'en rende compte, les larmes coulent.

Ohhh ! Vic se précipite vers moi et me serre dans ses bras. Alors que je pleure sur son épaule, je vois Matt disparaître dans la cuisine et revenir avec un verre de vin.

Bébé, je pense qu'elle a besoin de quelque chose de plus fort que du vin, lui dit Vic.

Il est trop tôt pour quelque chose de plus fort, mais une tasse de thé ne résoudra pas cela, alors voici.

Il me tend le verre et tout le monde me regarde pendant que je bois en une seule fois.

Les yeux de Matt s'écarquillèrent, mon Dieu.

Oh mon dieu, dit Christian en se couvrant la bouche.

Vic me frotte le bras, ma chérie, tu vas bien ?

Non, non, je suis tout sauf bien ! Je sanglote, comment diable est-ce arrivé? Qu'est-ce qu'Alex dit à propos de tout ça ? Comment puis-je avancer à partir de cela? Ce n'est pas bien! C'est un putain de désastre !

Harper, tu as besoin de respirer ! Vic me crie dessus dans le but de m'empêcher de tourner en spirale.

As-tu mangé? demande Christian.

Je ne peux pas, je me sens mal.

Tu dois faire quelque chose pour te calmer chéri, me dit Vic.

Elle a raison, si je ne me calme pas, je ne pourrai pas penser correctement.

Je me tourne vers Matt, ça te dérange si je prends une douche s'il te plait ? J'ai juste attrapé des vêtements et j'ai quitté la maison en toute hâte.

Matt hoche la tête, je vais vous montrer où tout est.

Matt me conduit dans sa chambre et dans la salle de bain.

Cela vous donnera un peu d'intimité, et Vic a plein de ses produits ici que vous pouvez utiliser, sourit-il.

Merci Matt, je rigole. Les choses vont bien entre vous et la victime, n'est-ce pas ?

Ouais, c'est une victime spéciale, dit-il avec un sourire.

Elle est sûre, je ris.

Et toi et Alex ?

Et voilà. Cela a pris du temps, mais je savais que quelqu'un demanderait.

Je hausse les épaules, aucun de nous n'avait prévu de faire face à une sex tape là-bas pour que le monde puisse la voir.

Je suppose que ce n'est pas en haut de la liste quand vous vous faufilez l'un avec l'autre, il me fait un sourire effronté et me tend ma serviette. Prenez votre temps, vous avez beaucoup à traiter.

Merci Matt.

J'attends qu'il parte puis ouvre la douche en laissant l'eau se réchauffer. Je me déshabille et entre dans la douche en laissant l'eau couler sur mon corps dans l'espoir qu'elle emportera tout mon stress avec elle. Je prends un peu de shampoing Vics et je m'en donne une bonne cuillerée pour que je puisse vraiment le faire mousser, en espérant encore une fois que par miracle, je pourrai simplement laver ce gâchis. Une fois que j'ai fini de me coiffer, je répète le processus sur mon corps avec son gel douche. Je dois ressembler à un bâton géant de barbe à papa à ce stade. Mon esprit est partout, que dois-je faire maintenant? Combien de personnes l'ont vu ? Est-il difficile d'obtenir une nouvelle identité ? Je suis tellement pris dans mes pensées que je n'entends pas la porte de la douche s'ouvrir alors je sursaute de peur alors qu'une paire de grandes mains familières s'enroulent autour de moi.

Chut, c'est juste moi, chuchote Alex.

Je ne peux pas m'en empêcher, je me retourne dans ses bras et éclate en sanglots.

Je t'ai, tout ira bien, dit-il en me tenant.

Nous restons ainsi quelques minutes alors que je laisse couler les larmes avant qu'il ne prenne le gel douche et ne le fasse mousser entre ses mains.

J'ai déjà...

Laisse-moi m'occuper de toi... dit-il en m'interrompant, s'il te plaît.

Je hoche la tête et le laisse passer ses mains sur mon corps en massant doucement la mousse. Je vide mon esprit de toute la merde qui se passe et me concentre uniquement sur ce qu'il me fait ressentir. Je gémis involontairement à la sensation de son toucher qui le fit s'arrêter.

Attention harper, j'essaie vraiment de me retenir ici et ça n'aide pas, il me sourit.

Je regarde entre nous et il ne ment pas. Je mords ma lèvre inférieure et le regarde. J'enroule ma main autour de sa grosse bite dure et le caresse doucement plusieurs fois.

Harpiste ?

Nous nous regardons dans les yeux et j'espère qu'il voit la faim dans la mienne qui correspond à la faim dans la sienne.

Fais-moi oublier.

Ses yeux s'écarquillent un instant avant de se rétrécir légèrement alors qu'il se lèche les lèvres. Je sursaute de surprise alors qu'il me pousse contre le carrelage froid, sa main entre mes jambes me caressant doucement. Il se penche sur moi...

Vous êtes si belle.

Alex... je.

Il soulève ma jambe contre sa hanche et embrasse mon cou. Je peux sentir sa pointe pousser à mon entrée. J'ai besoin de lui en moi.

S'il te plait Alex...

J'ai à peine prononcé les mots qu'il me rentre dedans. Mes yeux s'ouvrent alors que l'intensité de sa poussée déferle sur moi.

Putain d'Alex !

Ugh jésus!

J'enfonce mes ongles en lui et les fais glisser dans son dos alors qu'il me tape dessus. Nous en avons besoin. C'est en ce moment que nous libérons toute la colère, la douleur, l'embarras et c'est vraiment incroyable.

Merde... Pouah !

Oui... Continuez... Juste là !

Ugh... Vous vous sentez... Ugh... Putain incroyable ! Il gémit.

J'enfouis ma tête dans le creux de son cou tandis qu'il me frappait fort et vite. Je dépose quelques baisers sur son cou avant de pincer mes lèvres et de le sucer fort, en m'assurant de laisser ma propre marque.

J'y suis presque, bébé... Jouis pour moi, grogne-t-il.

C'est comme si ses paroles étaient ma perte. Je me sens me resserrer autour de sa bite alors qu'il continue de me baiser fort.

Oui!

Putain de harpiste... Ugh !

Alex !

Mes yeux se révulsent alors que je jouis fort et Alex resserre sa prise sur moi alors que mes jambes se dérobent.

Jésus, putain ! Il crie alors qu'il jouit en moi après quelques poussées supplémentaires. Ouah.

Ouais, wow, je rigole.

Est-ce que tu vas bien?

Je hoche la tête en réponse et il me tient alors qu'il se retire et lâche ma jambe. Une fois qu'il sait que je suis stable sur mes pieds, il nous lave rapidement tous les deux avant de couper l'eau et de m'envelopper dans une serviette.

J'ai essayé de t'appeler plus tôt, m'a-t-il dit.

Désolé, je dormais et puis mon père est entré dans ma chambre en criant et en hurlant, je devais sortir de là. Les journalistes ont commencé à appeler alors j'ai éteint mon téléphone.

Je suppose que ton père est énervé, dit-il et je hoche la tête.

Bien sûr. Et le tien?

Pfft énervé, c'est un euphémisme.

Je soupire, comment est-ce arrivé ?

Alex sourit et passe son bras autour de ma taille, m'attirant contre lui.

Si je devais deviner, je dirais que c'est nous qui baisons sur le toit d'une boîte de nuit.

Ok petit malin, dis-je en lui tapotant le bras.

Son visage devient sérieux, tu l'as vu ?

Je secoue la tête non en réponse, vous ?

Non, il prend une profonde inspiration. Nous devrions probablement le regarder.

Aww man, c'est totalement grincer des dents, dis-je avec un frisson.

Au moins, nous saurons ce que tout le monde a vu.

Je suppose que tu as raison, je grogne.

Eh bien, je ne le regarde pas avec toi alors que tu ne portes qu'une serviette, dit-il en me frappant le cul. S'habiller!

Bien! Je ris, mais c'est la même chose pour toi.

Je m'habille avec un short confortable et un sweat à capuche court. Je me retourne et mes yeux sortent presque de ma tête.

Ouah! Je déglutis en regardant Alex dans son jean moulant sur le point d'enfiler sa chemise. Il s'arrête et sourit à mon regard.

Épatez-vous.

Il jette sa chemise sur le côté, sans même prendre la peine de la mettre.

Viens ici, il me fait signe du doigt. Seigneur, la façon dont il me regarde, il pourrait claquer des doigts et mes vêtements tomberaient.

Je me tiens entre ses jambes et il frotte ses mains de haut en bas sur l'arrière de mes cuisses.

Es-tu sûr de vouloir faire ça ? Il demande.

Non, mais je ne veux pas non plus que les gens en parlent et je n'ai aucune idée de ce qu'ils ont vu.

Il hoche la tête et recule un peu plus. Il me retourne et me tire en arrière pour que je sois assis entre ses jambes. Il sort son téléphone et ouvre un lien

putain de merde ! Mes yeux s'écarquillent et je sens le rougissement brûler mes joues alors que je regarde la scène se dérouler sur le petit écran.

Putain, c'est plutôt de la bonne qualité ! dit Alex, l'air surpris.

Oh mon dieu, Alex, tu peux même nous entendre. Comment est-ce possible?

Apparemment, c'est un couple d'adolescents excités qui regardent et écoutent des couples tout le temps. Seulement, ils vous ont reconnu et voulaient gagner de l'argent.

Je grince des dents intérieurement, je suis tellement désolé.

Hé, dit-il en me serrant un peu plus fort. Nous avons tous les deux décidé d'avoir des relations sexuelles, ce n'est pas sur vous. De plus, voyez-vous le sourire que j'ai sur mon visage juste là.

Il fait signe à son téléphone qui me montre actuellement en train de lui sucer.

Oh mon dieu, je sens une mare de chaleur entre mes jambes mais il est hors de question que je l'admette à Alex. Sa main libre commence à frotter le long de mon ventre et je peux sentir qu'il a durci.

Alex... je murmure.

Nous le regardons maintenant me frapper par derrière pendant que je gémis et crie son nom.

Merde bébé, Alex gémit alors qu'il se blottit contre mon cou. Tu es incroyable.

Je mords ma lèvre en gémissant doucement.

Il secoue sa main dans mon short, harper pourquoi ta culotte est-elle trempée ?

La même raison pour laquelle ta bite est dure comme de la merde.

Il déplace ma culotte sur le côté et glisse un doigt à l'intérieur. Il me doigte alors que nous nous regardons frapper sur ce toit. Vous ne pouvez voir aucune partie du corps, mais vous pouvez certainement voir ce qui se passe et c'est chaud comme de la merde.

Oh mon dieu, je gémis alors que je commençais à moudre dans sa main.

C'est ça bébé, mmm.

Juste au moment où nous culminons sur la vidéo, je culmine autour de ses doigts.

C'était tellement chaud, murmure Alex à mon oreille.

La vidéo? Je demande.

Ça et le fait que je t'ai fait descendre pendant qu'on le regardait.

Je tourne la tête vers lui, je me sens vraiment sale en ce moment.

Alex embrasse le haut de ma tête et je le sens sourire contre moi, j'adore quand tu es sale.

Arrête, je rigole.

On devrait faire plus de pornos.

Alex !

Quoi? C'était le meilleur que j'ai vu ! Dit-il en me rapprochant de moi.

Alex retire sa main de mon sous-vêtement et je laisse échapper un soupir.

Nous ferions mieux d'affronter la musique, dis-je.

Est-ce que Victoria a posé des questions sur nous ?

Pas un mot. Et mat?

Rien, Rebecca n'a même pas demandé, me dit-il.

Nous avons des ennuis n'est-ce pas ?

En ce moment, je pense que ce serait plus facile d'affronter nos pères, rit Alex.

Allez, je grogne. Finissons-en avec ça.

Je me lève et avance quand il attrape ma main. Je me retourne et le regarde en fronçant les sourcils. C'est jusqu'à ce que je vois son sourire.

Nous descendons ensemble, dit-il puis dépose un baiser sur la main qu'il tient avant de me donner un doux baiser sur mes lèvres

prêt ? Il demande.

Non.

Alex rit, allez, allons-y.

Alex ouvre la voie alors qu'il m'emmène en bas. Nous nous dirigeons vers le salon où tout le monde se tourne pour nous regarder avant de se lever. Je vois que Rebecca est ici maintenant et je suis également nerveux au sujet de sa réaction. Ils regardent nos mains puis croisent les bras devant eux avec des expressions sérieuses sur leurs visages. Vic s'avance...

Soit !

Chapitre 15

Ohhh garçon.

Alex s'assoit et je vais m'asseoir à côté de lui mais il me tire sur ses genoux. Cela amène Matt à hausser les sourcils et à nous sourire.

Êtes-vous pour de vrai en ce moment?

Vic, d'autre part, est énervé.

Depuis combien de temps cela dure-t-il?

Est-ce que ça importe? Je lui demande.

Oui c'est putain d'importance !

Quelques mois plus tard, Alex lui dit.

Christian s'éclaircit la gorge.

Mais nous avons couché ensemble pour la première fois il y a plus de trois mois, ajoute Alex.

Vic se tourne vers Christian, donc tu étais au courant pour eux ?

Pour leur défense, j'ai fait irruption dans sa chambre d'hôtel sans réaliser qu'il était nu dans son lit.

Espèces de petites merdes sournoises, sourit Becca.

Matt nous pointe du doigt, putain je le savais !

La bouche de Vic tombe alors qu'elle se tourne vers Matt, tu l'as fait ?

Je les ai regardés ensemble la nuit dernière, ils se baisaient les yeux chaque fois qu'ils le pouvaient.

Je ne l'ai pas vu, parce que Becca fronce les sourcils.

Pourquoi n'as-tu rien dit ? Vic crie à Matt.

Je voulais d'abord parler à Alex !

Vic soupire avant de se retourner vers Alex et moi.

Alors que se passe-t-il entre vous deux ?

Nous sommes ensemble, dit immédiatement Alex.

Le fait qu'il ne m'ait pas dit de me perdre après ça est un bon signe.

Je pensais que vous vous détestiez, dit Becca avec intrigue.

Je n'ai jamais détesté Alex, dis-je fermement.

Vic lève les sourcils vers moi, oh donc ta voix marche, je commençais à me demander.

Aie.

Vi...

Je ne peux pas croire que tu ne me l'ai jamais dit !

Nous n'avons rien dit à personne, je lui assure.

Je suis ton meilleur ami!

Nous nous regardons et je vois qu'elle est blessée. Nous n'avons jamais gardé de secrets l'un pour l'autre et en toute honnêteté si les rôles étaient inversés, je me demanderais pourquoi elle sentait qu'elle ne pouvait pas se confier à moi.

Alex soupire, écoute, il y avait eu tellement de tension entre nous et aucun de nous ne l'avait vu venir. Lorsque nous avons décidé de commencer, nous voulions voir où cela mènerait sans que tout le monde en fasse grand cas.

Et regardez comment ça s'est passé, crie Becca, ça a conduit à une sex tape et à tout Internet qui vous a vu ensemble !

Ce n'est pas juste! Alex rétorque.

Matt roule des yeux, ce que les dames essaient de dire, c'est que si tu étais venu chez nous, nous aurions gardé ton secret et t'aurions aidé. De cette façon, vous n'auriez pas fini sur le toit.

Je pense qu'ils auraient fini là de toute façon, rit Christian.

Écoutez, ce n'était pas personnel, dis-je plus fort que prévu. Nous sommes passés de cris d'insultes à...

En criant le nom de l'autre, Alex sourit en m'interrompant.

Je tape Alex sur la jambe avec espièglerie.

Arrête ça.

Alex me fait un clin d'œil et je secoue la tête avec un sourire avant de me retourner vers les autres.

Écoutez, tout cela était très déroutant, sans parler du fait que beaucoup de choses s'étaient déjà passées contre nous et nous ne voulions certainement pas que nos pères le sachent.

Vic soupire, je veux toujours tous les détails.

Je me détends en voyant le sourire commencer à apparaître sur son visage.

Bien sûr, je ris.

Tenir bon! Becca crie et Alex gémit dans mon dos.

Et maintenant? Alex gémit.

Ces morsures d'amour sur ta cuisse...

Oh merde, je les ai oubliés.

L'amour mord où maintenant? Christian rit.

Tout le monde se concentre sur mes jambes alors que j'essaie de les cacher, mais je n'arrive pas à les cacher.

Ouah! Ils montent assez haut, n'est-ce pas, rit Matt.

Becca me fait un clin d'œil, ils viennent de mon frère ?

Je mords ma lèvre inférieure et hoche la tête en réponse.

Elle pointe vers Alex, c'est ma grosse bite ?

Becca fait la grimace alors qu'Alex et Matt éclatent de rire.

Oh mon Dieu! Vic halète.

C'est tellement faux ! Becca nous crie dessus en frissonnant.

C'est à ce moment-là que j'ai commencé à être convaincu que vous baisiez tous les deux, Matt rit.

Comment? Alex lui demande.

Parce que tu as failli avoir un accident vasculaire cérébral quand ils ont évoqué les morsures d'amour, alors tu étais bien trop investi dans le surnom de monsieur grosse bite.

Alex éclate de rire.

Matt sourit narquoisement, puis vous l'avez appelée pantalon prissy et elle en a mis un. Je pensais que je me trompais sur vous deux jusqu'à...

La fin! Vic laisse échapper, le coupant.

Vous l'avez vu aussi ? Matt lui demande.

Bien sûr, dit Vic avec un sourire.

Tout à fait logique maintenant, Becca hoche la tête.

Je les regarde avec confusion, quoi ?

Becca rit, la façon dont tu lui as dit qu'il se demandait comment tu étais au lit. Ses yeux se sont illuminés comme un sapin de Noël, surtout quand tu as suggéré que tu étais une sale petite pute.

Je ne m'en suis pas rendu compte à l'époque, mais il a failli déraper avec le je sais comment tu es, la parole, les sourires narquois de la victime.

Matt rit, elle s'est vraiment mise à tuer quand elle a suggéré qu'elle ne portait pas de culotte...

Hé, ce n'était pas une suggestion ! s'exclame Alex.

Alex est assis le visage droit, la bouche de Matt est ouverte sous le choc et les trois autres rigolent comme des enfants. Je couvre mon visage rougissant avec mes mains.

Le regard sur ton visage quand elle l'a dit mec, et tu t'es adapté, dit Matt à Alex.

Oh mon dieu, j'enfouis ma tête dans le cou d'Alex avec embarras.

Blague à part, qu'allez-vous faire maintenant ? demande Christian.

Je lève la tête et regarde Alex qui se contente de me sourire avant de regarder nos amis.

Je vais avoir besoin de plus de ce vin pour cette conversation.

Vin? De quoi parles-tu? me demande Alex en me caressant doucement les jambes.

Matt m'a donné un verre de vin plus tôt.

Jésus Matt, il n'est même pas midi !

Woah, dit Matt en levant les bras. Écoute, elle était dans un état et avait besoin de quelque chose pour la calmer.

Alors tu lui as donné du vin, dit Alex.

Pour être juste, Alex a aidé. Je me suis littéralement réveillé lorsque mon père m'a crié dessus pour découvrir ensuite que je regardais dans ma sex tape dont je ne savais rien. Je ne savais pas où tu étais ni comment tu te sentais.

Je suis venu ici dès que j'ai pu, m'a-t-il dit.

Je lui ai caressé la joue, je sais, mais j'étais toujours en train de paniquer.

Eh bien, je suis content d'avoir pu vous aider à l'oublier, dit-il avec un clin d'œil.

Les yeux de Matt s'écarquillèrent, s'il te plaît dis-moi que tu ne l'as pas fait, pas dans ma chambre !

Bien sûr que non, sourit Alex.

La salle de bain compte comme mon connard de chambre !

Je savais que cela arriverait, dit Christian. J'ai su à la seconde où vous vous êtes donné l'un à l'autre que vous ne pourriez plus vous tenir la main l'un à l'autre.

Alors, comment avez-vous géré un mois entier après la première fois ? demande Beca.

On ne se voyait pas beaucoup, je haussai les épaules.

Oh mon Dieu! Vic halète. Je savais que tu l'évitais, c'est pourquoi tu ne voulais pas sortir.

La blâmez-vous ? dit Christian pour ma défense. Il lui a dit que c'était une erreur et que cela ne pouvait plus se reproduire !

Alex ! Becca crie.

Vous ne l'avez pas fait ! Matt regarde Alex avec de grands yeux.

Attendez, dit Alex en levant la main pour essayer de calmer tout le monde afin qu'il puisse parler. Elle a dit que je ne l'avais pas satisfaite et qu'elle avait besoin de se finir puis a dit à l'équipe que ce n'était pas la peine d'en parler !

Matt éclate de rire tandis que Rebecca et Victoria ont la bouche ouverte.

Je me suis tourné vers Alex, tu m'as dit que c'était une erreur, que voulais-tu que je fasse ? Chanter vos louanges ?

Eh bien, évidemment, j'ai menti parce que je t'ai poursuivi pour en savoir plus et regarde où nous en sommes maintenant.

Sur le net! Matt laisse échapper.

Oh va te faire foutre ! Alex rit et retourne Matt.

Vic secoue la tête, vous savez que c'est bien pour vous les gars. Alex est un héros en ce moment, les harpistes sont vus comme un...

Sale petite pute, sourit Alex en l'interrompant.

Ce n'est pas drôle, dis-je en tapant sur l'épaule d'Alex.

Non tu as raison, je suis désolé. Écoutez, nos deux pères paniquent à propos de ce que cela signifie pour les entreprises, alors pourquoi ne les laissons-nous pas faire la majeure partie du travail acharné de tout trier et nous pouvons partir de là.

Je soupire, je suppose.

Tu sais ce que c'est bébé, il y aura une nouvelle histoire qui sera à l'honneur demain, Vic me fait un faible sourire.

Vous savez aussi bien que moi que même lorsqu'elle s'éteint, tout ce qu'un client aura à faire est de rechercher mon nom et il trouvera cette vidéo en quelques secondes.

Et après cette performance, ils vous embaucheront très certainement ! lâche Christian.

Tout le monde éclate de rire alors que je secoue la tête en direction de Christian. Alex serre ses bras autour de ma taille et pose son menton sur mon épaule.

Et bien tu vas bien t'entrainer lundi, christian nous sourit. L'équipe est partout là-dessus.

Le prochain séminaire est cette semaine ?

Je n'arrive pas à croire à quelle vitesse c'est arrivé, ça ne pourrait pas être pire putain de timing.

Ouais, Christian hoche la tête. Mon téléphone a explosé, tout le monde sait que Harper et moi sommes devenus proches.

Oh mon dieu, ils l'auront tous vu.

Je porte mes mains à ma bouche alors que mon estomac se tord. Christian ne dit rien, il n'est pas obligé. C'était assez difficile d'essayer d'imaginer que les gens dans cette pièce la regardaient, mais savoir que d'autres que nous connaissons nous regarderont et verront cette vidéo me donne la nausée.

Nous ne serons peut-être pas les bienvenus, dis-je en pensant à haute voix.

C'est ridicule! crie Christian.

Harper a raison, c'est la réputation des organisateurs, dit Alex. Je vais leur téléphoner et voir ce qu'ils disent, mieux que de se présenter et qu'on me demande de partir.

Je suppose, dis-je avant de prendre une profonde inspiration. Alors frappez-nous avec ça Christian, qu'est-ce que le groupe dit?

Christian rit, oh allez harper. Nous avons tous dit depuis le moment où nous vous avons vu ensemble que la tension sexuelle était irréelle. Nous savions que vous alliez vous y mettre avant même que vous ne le fassiez.

Nous avons dit exactement la même chose mais ils nous ont dit que nous parlions nos culs, sourires narquois mats.

Christian rit à nouveau, eh bien je leur ai dit que je venais vous voir et ils vous envoient leur amour et leur soutien. Les deux seules dont je n'ai pas entendu parler sont Stella et Tina.

Ils complotent probablement mon meurtre.

Espérons que maintenant ils comprennent l'allusion, rit Alex.

Les gars se dirigent vers la cuisine pour nous faire des cafés et prendre de la nourriture car aucun de nous n'a encore mangé aujourd'hui. Dès qu'ils sont sortis, Vic et Becca viennent s'asseoir à côté de moi.

Alors, comment te sens-tu vraiment ? Vic me demande.

Qu'en est-il de?

Tout!

Je ne sais même pas par où commencer, lui dis-je avant de prendre une profonde inspiration. Cette vidéo va changer ma vie que je le veuille ou non.

Becca me caresse le bras, tu sais, toi et Alex auriez vraiment pu exploser pour ça mais vous ne l'avez pas fait. Je suis en fait un peu fier de mon frère et de la maturité dont il fait preuve en ce moment.

La seule chose que l'un ou l'autre de nous a fait de mal a été de décider de se cogner sur le toit du club. Aucun de nous n'a pensé une seconde qu'il y aurait des preuves vidéo.

C'était sacrément chaud ! Vic laisse échapper avant de se couvrir rapidement la bouche.

Alors tu l'as regardé ? dis-je en levant un sourcil.

Vic met son meilleur sourire je t'aime, ça a commencé uniquement à des fins de recherche, tu sais donc on a su comment vous soutenir tous les deux...

Nous?

Matt et moi.

Je ne suis pas sûr de ce que je ressens sur le fait que Matt l'a vu, m'a vu de cette façon.

Et comment cela a-t-il fonctionné ? Je lui demande.

On s'est tellement excité qu'on a baisé comme des fous.

Vik !

Ne m'agresse pas chérie. Matt a dit que c'était le meilleur porno qu'il ait vu.

Mon Dieu, dit Becca en faisant face aux paumes.

Alex a dit la même chose.

Il le ferait, c'est son putain de film ! Becca crie.

Ce n'est pas un film cependant. C'est notre vie, notre vie très personnelle qui s'offre désormais à tous.

En parlant de ça, comment diable t'es-tu branché ? Tu étais si catégorique qu'il n'y avait aucune chance. dit Beca.

C'est difficile à expliquer. Nous travaillions ensemble pour le projet et nous nous défiions et étions snippy. Nous avons dû inconsciemment sentir la tension sexuelle parce que je suis allé dans ma chambre et j'ai décidé de me satisfaire quand le baiseur m'a interrompu pour m'informer que les murs étaient fins.

Les yeux de Vic s'écarquillent, noooon !

Je hoche la tête.

Elle gémissait mon putain de nom, je ne pouvais pas l'ignorer.

Nous sursautons alors que les gars reviennent dans la pièce avec notre nourriture et nos boissons.

Il m'a proposé de m'aider à finir, leur ai-je dit.

Et tu viens d'accepter ? Beca rigole.

Alex sourit, je ne lui ai pas laissé le choix, j'ai enlevé son peignoir avant que la porte ne se referme.

Merde, rit Matt.

Alex me regarde directement et sourit, tu aurais dû la voir. Elle se tient là dans un tout petit bout de peignoir, il couvre à peine ses fesses et ses mamelons transpercent le tissu. Ses cheveux étaient tout emmêlés, ses joues étaient rougies par ce qu'elle avait fait et ses yeux... Eh bien, ces yeux étaient si pleins de faim et de désir que j'ai perdu tout espoir de maîtrise de soi.

Tu étais comme un putain d'animal, je lui souris en retour.

Tu peux parler, tu étais fou !

Je ne sais pas comment c'est arrivé, mais je suis de nouveau à genoux alors qu'il me serre contre lui.

Puis tu as dit que c'était une erreur, lui ai-je rappelé.

Alex rit, écoute, j'ai paniqué à quel point nous étions bien ensemble. Je veux dire tu vas me dire que tu fais l'amour comme ça tout le temps ?

Je ne lui réponds pas mais je sens mon visage virer au rouge.

Sans parler de l'intensité des sentiments que j'ai envers vous.

Wow, c'était vraiment inattendu.

Aww big bro a grandi, becca taquine à côté de nous.

Harper, quand j'ai dit que c'était une erreur, j'essayais de me protéger. Je t'ai blessé et j'en suis désolé, vraiment. Il s'avère que je me faisais mal aussi. Je ne pouvais pas rester loin de toi, merde je ne veux pas rester loin de toi...

Je suis très conscient de tout le monde autour de nous en ce moment car Alex me parle avec sincérité.

J'aime ce que nous avons, je n'ai jamais ressenti ça auparavant et je veux me battre pour ça.

Je le fixe un instant. J'avais tellement peur de m'ouvrir car je pensais que c'était juste amusant pour lui et à la minute où nous nous ferions prendre, il me laisserait tomber comme une patate chaude. Au lieu de cela, il est assis devant nos amis en train de me dire qu'il veut ça, qu'il nous veut.

Que dites-vous harper, voulez-vous cela aussi ?

Chapitre 16

Mes yeux s'ouvrent alors que je m'étends face contre terre sur le lit massif.

Ce n'est pas mon lit.

Je ne suis confus que pendant un instant jusqu'à ce que je lève la tête et observe mon environnement, me souvenant où je suis. Je suis dans la chambre d'amis de Matt. Comment pourrai-je oublier ? Hier, je me suis réveillé avec un spectacle de merde en découvrant que deux adolescents excités ont décidé de gagner de l'argent en enregistrant Alex en me le donnant comme si nous étions tous les deux affamés.

Baise-moi, je gémis dans l'oreiller.

Je sens le lit s'affaisser à côté de moi et un souffle chaud près de mon oreille.

S'il vous plaît, dites-moi que cette demande était pour moi, dit Alex, sa voix basse.

Avec mon visage toujours enfoui dans l'oreiller, je souris à moi-même. Alex m'a demandé si je voulais me battre pour nous hier soir et je lui ai dit oui. Nous sommes restés chez Matts pour éviter les bouillies chez Alex et avons passé toute la nuit à faire l'amour.

Vous n'en avez pas déjà assez de moi ? Je réponds et je pousse un cri à la fois de surprise et d'excitation alors qu'il me frappe le cul nu.

Putain, tu te moques de moi, je ne peux pas en avoir assez de toi, surtout après la nuit dernière. Vous étiez incroyable.

Ok, j'ai peut-être embelli quand j'ai dit que nous avions fait l'amour toute la nuit. Nous avons définitivement commencé à faire l'amour mais pour le reste de la nuit nous étions comme un couple de sex addicts qui avaient été privés puis lâchés.

Comment allez-vous ? Alex me demande.

Il n'était pas le seul à avoir appris à quel point j'étais flexible la nuit dernière. Je ne savais pas que mon corps pouvait se plier et bouger comme ça. Les papillons déferlent dans mon corps alors que les souvenirs de la nuit dernière refont surface.

Je gémis alors qu'il glisse sa main entre mes jambes en me caressant doucement, j'ai mal mais dans le bon sens.

Bébé, tu es déjà si mouillé.

Il se place derrière moi et soulève mes hanches pour que mon cul soit en l'air. Je n'attends pas longtemps avant qu'il glisse en moi.

Oh, oui...

Putain, tu te sens incroyable, grogne-t-il.

Je saisis les draps alors qu'il me baise par derrière, gémissant et criant dans l'oreiller alors qu'il nous pousse tous les deux jusqu'à la ligne d'arrivée.

Nous nous pelotonnâmes l'un contre l'autre et il embrassa le haut de ma tête.

Quelle belle façon de commencer la matinée.

Je ris, wow quelqu'un de bonne humeur.

Après hier soir et tout à l'heure, tu ferais mieux d'y croire !

Je me suis serré plus fort contre lui, tu n'étais pas là quand je me suis réveillé.

J'allais nous préparer le petit-déjeuner, mais quand je suis arrivé à la cuisine, Becca a téléphoné pour dire qu'elle et Christian étaient en route avec quelques-uns, me dit-il en me caressant les cheveux.

Ah bon, je meurs de faim !

C'est comme s'ils nous entendaient. Au moment où je termine ma phrase, nous l'entendons...

Venez chercher votre nourriture pendant qu'il fait chaud! crie Becca depuis le rez-de-chaussée et je saute immédiatement du lit.

J'attrape mes sous-vêtements et le t-shirt d'Alex pendant qu'il enfile un survêtement. Je ne peux pas m'empêcher de lécher mes lèvres en le regardant.

Alex rit, allez femme. Tu n'as pas beaucoup mangé hier, tu as besoin de nourriture.

Ouais, ouais, dis-je en levant les yeux au ciel.

Alex sourit avant de foncer vers moi. Je couine et commence à courir dans les escaliers avec Alex sur mes talons. Il me rattrape juste à l'extérieur de la cuisine et il enroule ses bras autour de ma taille par derrière et se blottit contre mon cou alors que nous entrons dans la cuisine.

Hé sœurette, dit Alex quand il lève les yeux pour voir tout le monde nous regarder.

Bonjour grand frère, elle chante pratiquement.

Alex fronce les sourcils, tu te sens bien ?

Je ne sais pas si j'ai encore la gueule de bois ou si je suis encore ivre, rigole-t-elle.

Pourquoi portez-vous toujours les mêmes vêtements qu'hier ? Vic leur demande.

Ce serait parce que nous ne sommes pas encore rentrés, nous informe Christian.

Quoi! Alex et Matt crient à l'unisson.

Rebecca et Christian allaient rester chez Alex la nuit dernière pour garder un œil sur les paps bien qu'il semble qu'ils aient d'autres plans.

Bon on a décidé d'aller boire quelques verres, Christian commence.

Ouais, hier c'était stressant, becca souffle.

Alex hausse les sourcils, stressé ?

Ouais.

Pour toi?

Ouais!

Vic et moi essayons désespérément de garder un visage impassible alors que Matt et Alex regardent Becca. Vous pouvez simplement dire par la dynamique que Matt est fondamentalement un autre frère pour elle.

Eh bien, ce n'est pas tous les jours que vous vous réveillez pour découvrir que votre frère est dans une sex tape qui a été divulguée sur le net, puis découvrez qu'il a eu une relation secrète avec sa co-star dont le père est le pire ennemi de notre père !

Impressionnant, elle gère tout cela en un souffle.

Ok je vois pourquoi tu serais un peu stressé, sourit Matt.

Christian agite la main, de toute façon, pendant que nous étions sortis, nous avons entendu un groupe de gars parler de la vidéo.

Eh bien, c'est tout simplement génial, dis-je en roulant des yeux.

Christian sourit largement, oh ils étaient de grands fans.

Cela ne me fait pas me sentir mieux, je lui dis.

Becca nous sourit, saviez-vous qu'il existe des récompenses pour les films pour adultes ?

Vic recrache son café.

Ces gars pensent que vous avez de bonnes chances de gagner, nous informe Becca.

Beca !

Alex secoue la tête, je ne pense pas que nous nous qualifierions.

Alex !

Je dis juste qu'il rit.

Les gars parlaient du fait que ce n'était pas forcé ou trop théâtral ou faux, nous dit Becca.

Christian hoche la tête, c'est là que j'ai sauté en disant que c'était parce que tu ne savais rien sur le fait d'être filmé.

Vic, Matt et Alex essaient de garder un visage impassible pendant que Christian et Becca racontent leur histoire avec toute leur théâtralité. J'essaie de comprendre jusqu'où cette vidéo a été vue.

Quoi qu'il en soit... Becca dit en agitant la main, nous avons tous parlé et passé le reste de la nuit à faire la fête.

Incroyable, dis-je en secouant la tête.

Matt sourit, on dirait que vous deux êtes en train de devenir les favoris des fans.

Ce n'est pas bon! je leur rappelle.

Pendant que nous prenons notre petit-déjeuner, nous réalisons que Rebecca et Christian se sont tus. Nous nous retournons pour les voir blottis l'un contre l'autre sur le canapé avec leur petit déjeuner à moitié mangé à côté d'eux pendant qu'ils dorment.

Aww bénisse, je rigole.

Laisse-les dormir, rit Alex. Chrétiens sur le vol avec nous ce soir puis nous avons les troupes au séminaire à affronter demain.

Je me tourne vers Alex, ils nous laissent partir ?

Si nous le voulons encore, il hausse les épaules.

Ok, dis-je nerveusement. Je ne sais pas quelle est la réponse à cela.

Christian va avoir besoin d'autant de repos que possible, rit Alex.

Matt lève un sourcil, il n'est pas le seul.

Vous n'avez pas pu dormir ? Je lui demande.

Pas pour tous les gémissements et cris dans le couloir.

Oh, je peux déjà sentir la chaleur monter sur mes joues.

Vic rit, je suis surpris que vous soyez réveillés tous les deux en fait.

Que puis-je dire, elle ne peut tout simplement pas en avoir assez de moi, sourit Alex.

Vraiment! Je hausse les sourcils vers lui.

Est-ce que je mens ? Il me fait un clin d'œil.

Ne mets pas tout ça sur moi, dis-je en essayant de ne pas sourire.

Nous avons fini le petit-déjeuner et nous nous sommes douchés et habillés, ce qui a pris plus de temps que prévu, car encore une fois, nous avons dû passer à l'action.

Oh comme j'aimerais être une mouche sur le mur, Vic sourit.

Vic, tu n'aides pas.

Je dois rentrer chez moi pour récupérer plus de vêtements. Vic allait venir avec moi mais nous pensions que ce serait plus sûr pour mon père si Alex venait. Je leur ai dit que je pouvais y aller seul mais ils ne l'avaient pas. Nous disons aux autres que nous ne tarderons pas et Alex nous conduit chez moi. Nous nous arrêtons devant la maison et je vois sa voiture, ce qui me fait sentir un trou dans l'estomac à l'idée de devoir lui faire face.

Alex me donne un petit coup de coude, tu vas bien ?

Je prends une profonde inspiration, ouais, finissons-en.

Nous nous tenons la main en entrant dans la maison et entrons dans le grand hall.

Harpiste ? Est-ce vous?

Allez, on bouge, je murmure.

Je tire Alex derrière moi et juste au moment où nous atteignons le bas des escaliers, nous l'entendons à nouveau.

Harpiste ?

Je soupire avant de me retourner pour lui faire face, papa.

Sa fureur est évidente à la mine renfrognée sur son visage. Sa fureur grandit et il serre les poings quand il aperçoit son alex à côté de moi.

Qu'est-ce qu'il fout ici ?

Si tu continues à me crier dessus comme ça, je m'en vais ! Je l'ai prévenu.

Je suis ton père!

Alors agissez comme ça !

Un regard choqué traverse son visage alors que ses yeux s'écarquillent et que sa mâchoire tombe. Il s'est toujours vanté d'être le père parfait alors qu'il ne l'est certainement pas.

Où étais-tu hier soir ? Il exige de savoir.

Je suis resté avec un ami.

Il regarda Alex.

Eh bien, ce n'était pas Victorias parce que j'ai essayé là-bas !

Nous savions que vous le feriez alors nous sommes allés ailleurs, et non ce n'était pas la maison d'Alex donc vous pouvez arrêter de le regarder comme ça.

Papa déplace son regard d'Alex vers moi.

Que se passe-t-il? Papa demande en pointant entre Alex et moi.

Je me redressai et regardai mon père droit dans les yeux. Nous étions ensemble.

Tu es quoi maintenant ?

Alex serre ma main un peu plus fort. Mon père est clairement énervé, vous pouvez voir la vapeur qui sort de ses oreilles.

Non, je ne pense pas, rit-il sarcastiquement.

Ce n'est pas ta décision, lui dis-je sèchement.

Tu es ma fille Harper ! Pas question que je te laisse être avec lui ! Certainement pas!

Qu'est-ce que tu veux dire, tu ne me laisseras pas ?

Comme je l'ai dit. C'est un munro, il n'est pas bon pour toi, pas comme...

Il s'arrête au milieu de sa phrase en réalisant qu'il en a trop dit.

Mes sourcils se froncent et j'incline la tête sur le côté, pas comme quoi papa ? Ou tu voulais dire qui ?

Alex nous regarde tous les deux dans une confusion totale. Ce n'est pas une interaction père-fille normale pour quelqu'un d'autre que nous.

Il est beaucoup mieux pour toi et aidera ta réputation à grandir, dit papa avec un hochement de tête.

Alex me regarde, parle-t-il d'un mariage arrangé ?

J'ai dit qui ?

Les deux hommes me regardent avec surprise, j'ai réussi à rester assez calme jusqu'à présent mais papa est allé trop loin.

Lincoln...

Lincoln ! Je le tuerai! crie Alex, interrompant mon père.

Je regarde mon père et vois le sourire narquois qu'il essaie de cacher alors qu'Alex souffle et souffle à côté de moi. Certaines choses ne sont pas ici.

Et Lincoln était d'accord avec ça ? je demande à mon père.

Bien sûr. Vous vous êtes si bien entendus tous les deux à la réception, je n'aurais pas pu mieux planifier moi-même, me dit-il.

Mère Fu...

Donc, si je téléphone à Lincoln, il confirmera cela ? je demande à mon père tout en interrompant l'explosion d'Alex.

Les yeux de mon père s'écarquillèrent, bien évidemment je vais devoir lui parler après ce pétrin dans lequel tu t'es mis mais...

Tu ment! je lui crie dessus.

Quoi?

Lincoln n'a aucun intérêt à s'installer avec moi, à coucher avec moi peut-être mais à m'épouser, non.

Harpiste...

Je lève la main, l'arrêtant au milieu de sa phrase.

J'en ai assez entendu papa.

Je me retourne pour monter à l'étage.

Harper Henderson, je suis toujours ton père et tant que tu vivras sous mon toit, tu feras ce que je dis !

Je me retourne pour lui faire face et je vois qu'il a l'air plutôt content de lui.

On dirait que je déménage !

Sa bouche tombe sous le choc et je monte les escaliers en traînant Alex derrière moi car il est trop occupé à sourire à mon père. Je l'attire dans ma chambre en claquant la porte derrière moi

Ouah! dit Alex avec de grands yeux.

Je sais, c'est une belle pièce n'est-ce pas ? C'est la seule raison pour laquelle je suis resté si longtemps.

Ouais ta chambre est géniale mais je parlais de la façon dont tu as traité ton père.

Oh ça fait longtemps que ça vient. Mentir au sujet de Lincoln acceptant son plan a été la goutte d'eau pour moi.

Alex lève un sourcil, comment sais-tu qu'il mentait ?

Je souris à Alex, allez bébé. Toi et moi savons tous les deux que Lincoln ne voulait coucher qu'avec moi. De plus, quand j'ai parcouru mes textes, j'en avais un de lui qui disait wow sexy, si c'est ce que vous faites pour une pompe et un vidage que vous n'aimez pas, alors nous sommes dans une nuit folle, donc je savais qu'il n'avait pas accepté de il.

Alex fronce les sourcils, oh il l'a fait, n'est-ce pas.

Je lui souris et lui caresse les lèvres. Je vais marcher jusqu'à mon placard quand il attrape ma taille, me tirant contre lui avec mon dos contre sa poitrine. Il se penche vers mon oreille...

Tu viens de m'appeler bébé.

Waouh, je l'ai fait. Je me laisse vraiment ouvrir à lui. Il me broie le cul.

Moi t'appelant bébé t'as rendu si dur? Je rigole.

Ça et la façon dont tu as tenu tête à ton père.

Mmm c'est vrai, dis-je en bougeant avec lui.

Dis-moi Harper, combien d'hommes as-tu eu dans cet immense lit ou le tien pendant que papa pense que tu regardes juste un film ?

J'ai éclaté de rire, tu penses vraiment que je vais ramener des gars ici quand il y a une possibilité qu'ils le rencontrent ?

Alex me retourne pour que je lui fasse face, tu me dis que tu n'as jamais baisé dans ton propre lit ?

Je me mords la lèvre et secoue la tête.

Un sourire se glisse sur son visage, eh bien nous ne pouvons pas avoir ça.

Il soulève mes jambes de sous moi et me porte jusqu'à mon lit. Il se penche et me donne un baiser passionné avant de me faire un clin d'œil.

Faisons de votre dernière fois ici un moment mémorable.

Chapitre 17

J'avais laissé à mes pères hier assez de choses à faire pendant que j'étais au séminaire. Matt et Vic ont gentiment accepté de ranger mes affaires et de les déplacer pendant mon absence. Nous pensions tous que c'était la meilleure façon car cela signifiait que je n'avais pas à m'occuper de mon père et que je n'aurais pas à attendre d'être de retour pour sortir de là. J'ai accepté d'emménager avec vic qui était ravie car elle me demandait d'emménager avec elle depuis deux ans de toute façon.

C'est étrange d'être ici et de partager ouvertement une chambre d'hôtel plutôt que de se faufiler.

Alex rit, je sais ce que tu veux dire. Je n'arrête pas de regarder l'horloge et d'essayer de calculer combien de temps nous avons au lit ensemble avant de devoir retourner dans ma chambre pour me préparer.

Je me redresse sur un coude et regarde Alex, comment abordons-nous cela ?

Avec la tête haute.

Ok petit malin, dis-je en levant les yeux au ciel. Je vais prendre une douche.

Alex se redresse sur ses deux coudes en me regardant sortir du lit.

Vous voulez de la compagnie ?

Pourquoi, Alex Munro, demandez-vous réellement un changement ? Je lui souris.

Alex me fait son sourire mouillant sa culotte. J'essayais d'être poli, mais pour votre insolence, je vous rejoindrai quoi que vous vouliez.

Je ris du ventre alors qu'il sort du lit puis vient courir après moi. J'aime à quel point il est amusant et joueur. Je peux honnêtement dire que je n'aurais jamais pensé utiliser ces mots pour décrire Alex munro.

Après une douche classée X, nous nous préparons et nous précipitons rapidement vers le café local pour nos lattes et muffins.

Je ne suis pas sûr de pouvoir m'éloigner de toi toute la journée, me grogne pratiquement Alex.

Tu as réussi à tous les autres séminaires, je lui souris.

Ouais mais c'était quand on se faufilait et qu'on devait bien se comporter.

Nous devons nous comporter maintenant ! Je lui rappelle plus fort que prévu.

Bébé, je parie que tout le monde dans cette pièce a vu la vidéo, dit-il en haussant les sourcils.

Je m'arrête dans le hall, ce qui fait qu'Alex s'arrête également. Je me tourne vers lui et enfonce mon doigt dans sa poitrine.

Cela ne signifie pas que vous pouvez simplement faire ce que vous voulez avec moi devant tout le monde.

Tu veux parier, dit-il avec un clin d'œil.

Je lève les yeux au ciel et avance en avant tandis que je me sens rougir alors que nous arrivons à la salle de conférence.

Prêt ? demande Alex.

Je secoue la tête et il prend ma main, me tirant doucement dans la pièce. Comme prévu, la salle devient silencieuse alors que tout le monde se retourne pour nous voir entrer ensemble.

Bonjour tout le monde ! Alex explose avec un grand sourire.

Oh mon dieu, je marmonne en baissant la tête d'embarras.

Quand je lève la tête pour pouvoir me diriger vers notre table, je vois Christian glousser pendant que tout le monde se chuchote.

Bonjour à vous deux, christian sourit.

Notre équipe nous sourit alors que nous prenons place avec eux, enfin tout le monde sauf Stella et Tina.

Sarah sourit et pointe du doigt entre Alex et moi. Vous deux avez des explications à donner.

Tout le monde se calme et l'orateur commence le séminaire. Alex refuse de lâcher ma main pendant que nous écoutons la conférence et les instructions pour le projet de ce mois-ci. Je peux sentir les regards de gens qui, avant ce week-end, n'auraient pas pensé à nous.

Est-ce que tu vas bien bébé? me chuchote Alex.

Ouais, c'est juste que tout le monde continue de me regarder, je murmure en retour.

C'est parce que tu es incroyablement belle, me dit-il et je commence à rire.

Christian lève un sourcil, bon harpiste ?

Ouais, désolé, je rigole. Juste Alex ici étant plus ringard qu'une boîte de kraft.

Alex secoue la tête puis se tourne vers le reste du groupe, alors voulons-nous simplement aborder ce projet comme nous le faisons tous les autres ?

Pas si vite, sourit Sarah.

Tu ne pensais pas vraiment que tu pouvais venir ici et nous n'aurions pas de questions, Patrick rit.

Nous espérions que vous ne le feriez pas, j'ai haussé les épaules.

Je les ai prévenus, Christian chante pratiquement.

Alex rit, et si nous faisions ce dont nous avons besoin pour le projet et ensuite nous pourrons aller dîner ce soir et vous pourrez nous demander n'importe quoi.

Tout le monde a accepté la proposition d'Alex et même si je suis content du sursis, une partie de moi préférerait en finir maintenant.

Ok, faisons une autre mission les gars ! Christian applaudit et je ne peux m'empêcher de rire de son enthousiasme.

Nous suivons notre routine habituelle et faisons le tour de la table en donnant nos propres idées sur la façon dont nous aborderions le problème, chacun prenant des notes et posant des questions pendant que je sens que Stella et Tina me dévisagent.

Ok, divisons cela en sections, suggère Patrick en attrapant les cartes mémo.

Si vous m'excusez tout à l'heure, je reviens tout de suite, dis-je en me levant de table.

Je me dirige vers les dames et fais mes affaires. J'ouvre la cabine pour aller me laver les mains quand je vois Stella et Tina qui m'attendent. Excellent!

Tu dois être plutôt content de toi, Stella se moque de moi.

Oh, et pourquoi serait-ce le cas ? je demande, feignant la confusion vraiment ? Tina crache.

Oui vraiment? je rétorque.

Et bien tu as... Tu as couché avec Alex !

Oh merde, cette pauvre fille a vraiment besoin de secouer la tête.

Ce que Tina veut dire, c'est que tu as prétendu que tu ne voulais pas de lui et que tu l'as quand même poursuivi, même quand tu savais qu'on l'aimait bien ! Stella se tient là, l'air plutôt contente d'elle-même.

Est-ce que j'entends bien? Est-ce que ces deux-là sortent sérieusement avec cette merde.

Ont été cultivées des femmes cul pas des adolescentes au lycée pour l'amour du christ! Je leur crie dessus. Comment Alex et moi nous sommes réunis, c'est entre Alex et moi. Bien sûr, je savais que vous étiez tous les deux amoureux de lui, tout le monde sait que votre cul assoiffé en a après lui. Il ne s'intéresse pas à vous. Il a refusé de nombreuses fois.

Mais...

Dites-moi mesdames, que se serait-il passé si l'une de vous avait été avec lui ? Vous me reprochez d'être avec lui tout en sachant que vous l'aimiez tous les deux, mais vous vous êtes tous les deux jetés sur lui, quels que soient les sentiments des autres.

Ils se regardent tous les deux en assimilant ce que j'ai dit. J'ai fini donc je me retourne pour retourner vers le groupe.

Il peut faire tellement mieux que vous ! Stella me crie alors que je pars.

Je m'arrête à mi-chemin et me retourne pour lui faire face en souriant.

C'est peut-être vrai mais au moins on sait qu'il fait déjà mieux que vous !

Je regarde son visage tomber puis je sors des toilettes. Je suis tout à propos d'encourager et d'autonomiser les femmes, mais cette garce me frotte dans le mauvais sens depuis des mois.

Tu es vraiment sexy quand tu es en mode salope.

Je souris avant de me redresser et de me retourner. Alex est appuyé contre le mur à côté de la porte des toilettes pour femmes. Il a l'air incroyable.

Je penche la tête vers lui, tu penses que je suis une garce ?

Non bébé, je pense que tu es la garce et que tu es tout à moi, me sourit-il.

Je ne peux m'empêcher de rire. Il utilise son doigt pour me faire signe de le rejoindre. Cette chienne va s'amuser un peu.

Je suppose que vous avez entendu tout cela. Je lui ai dit,

Je l'ai fait. Tu n'as aucune idée à quel point je suis excité en ce moment, sourit-il.

Je souris en m'approchant de lui. La respiration d'Alex se coupe alors que je caresse son épaisse érection à travers son pantalon.

Oh, c'est sûr, je souris.

Je retire ma main et commence à m'éloigner de lui mais il réussit à attraper ma main et à me retourner.

Où vas-tu?

Je ris, tu dois te comporter.

Tu m'as taquiné toute la journée !

Il enroule ses bras autour de ma taille, m'attirant pour un baiser doux mais passionné.

Mmm, maintenant qui taquine, je souris.

Alex rit, puis retire une mèche de cheveux de son visage, est-ce que ça ira ce soir avec des gens qui posent des questions ?

Ouais. Je ne les blâme pas, je voudrais tout savoir si j'étais l'un d'eux.

Alex hoche la tête, je suis plus préoccupé par la merde que Stella va sortir.

Je peux la gérer.

Je ne le sais pas ! Il me sourit.

Nous devons y aller! Je tirai sur son bras, le traînant jusqu'à notre chambre pour que nous puissions travailler un peu.

Inutile de dire que nous avions à peine fini notre travail que nous étions tous les uns sur les autres. Cela aurait été bien si nous n'avions pas prévu de rencontrer des gens. Malgré notre bousculade pour nous préparer, nous sommes en retard.

Ils sont là! Sarah sourit en nous voyant approcher.

Salut, désolé nous sommes en retard, je dis vite.

Christian sourit, oui, bien sûr que tu l'es.

On t'a offert des verres, dit Sarah en désignant l'alcool devant nous.

Merci, je prends mon verre de vin et j'en bois la moitié d'un trait.

Alex lève les sourcils et sourit, ça va ?

J'acquiesce, ouais, juste en train de me préparer pour l'interrogatoire.

La plupart de la table se met à rire.

Pensez-y comme à un discours entre filles, sourit Sarah.

Avec ce lot ? dis-je avec de grands yeux.

Les gars se contentent de sourire alors que j'essaie de calmer mon cœur qui bat vite.

Patrick rit, nous ne sommes pas si mauvais, n'est-ce pas ?

Qu'est-ce que tu aimerais savoir, Patrick ? Je lui demande.

Eh bien... L'un de vous a-t-il été prévenu que la vidéo allait sortir ?

J'ai commencé à rire, et tu t'es demandé pourquoi j'étais nerveux.

La réponse est non, aucun de nous ne savait rien, dit Alex en me frottant doucement le dos.

Tina halète, sérieusement ?

Sérieux, pas un mot. Alex confirme.

Tu as dû être tellement embarrassé Alex, dit Stella en lui faisant des yeux de biche.

Que diable veut-elle dire par là ! Chienne!

Suis-je heureux du fait que n'importe qui peut aller sur youtube et voir harper et j'aime ça, absolument pas, mais je n'ai eu que des retours incroyables, sourit-il.

Les gars rient tous. Alex fait des blagues à ce sujet mais je sais que ça le dérange. Je peux le voir dans ses yeux.

Stella place sa main sur le bras d'Alex, immobile, pour se faire littéralement prendre le pantalon baissé avec une femme...

Je vais la frapper. Je serre les poings sous la table.

Tu veux dire ma femme ? Alex l'interrompt.

Il écarte son bras d'elle et son autre main agrippe la mienne sous la table. Je suis sûr que c'est dans l'espoir que je ne vole pas à travers la table.

Hein?

Tu voulais dire être pris avec ma femme, n'est-ce pas ? dit-il sévèrement.

Son visage devient rouge et elle ne peut même pas le regarder dans les yeux. Parlez de maladresse.

Alors depuis combien de temps Harper est ta femme pour Alex ? Sara sourit.

Cela fait plus d'un mois maintenant.

En même temps que vous vous êtes mis ensemble, je désigne Sarah et Patrick.

Patrick rigole, comment ça se passe, le temps passe vite quand on s'amuse ? Sarah et moi sommes ensemble depuis deux mois maintenant.

Oh mon dieu tu as raison ! je souffle.

Christian sourit, pour être juste, vous avez probablement passé la majeure partie de votre temps au lit, donc ça ne semblera pas aussi long.

C'est le gros problème que j'ai avec la vidéo de sexe, commence Alex. On est ensemble et ok peut-être qu'on n'aurait pas dû monter sur le toit mais bon c'est pas comme si on était les premiers, après ce qui s'est passé on sera surement les derniers mais, on n'est pas les premiers. Je reçois des high fives et des acclamations, mais cela pourrait vraiment affecter la carrière de Harper car sa réputation pourrait être ternie. Je suis juste contente de ne pas avoir déchiré cette robe comme je le voulais, j'aurais pu empirer les choses.

Ne pense pas comme ça, c'est comme ça et on va s'en occuper, dis-je en lui frottant le bras.

Nous passons encore quelques minutes à parler de la vidéo, puis nous sommes tous d'accord pour la laisser tomber et continuer notre soirée.

Tu n'as vraiment pas à me porter, je ris.

Vous avez dit que vos pieds étaient douloureux.

J'aurais pu enlever mes chaussures.

Nous avons passé une super soirée avec tout le monde. Nous avons même plaisanté sur la façon dont nous devenions notre propre petite famille dysfonctionnelle. Alex et moi sommes un peu ivres alors qu'il me ramène dans notre chambre. Une fois à l'intérieur, il me laisse tomber sur le lit.

Vite, mets-toi déjà à poil !

Je ne peux pas m'empêcher de rire de lui alors qu'il tombe presque pour enlever ses chaussettes.

Voulez-vous faire attention s'il vous plaît, je ris.

Il est debout devant moi, les fesses nues, les mains sur les hanches. Je sens la chaleur s'accumuler entre mes jambes alors que les picotements commencent.

Pourquoi es-tu encore habillée ?

Il attrape mes chevilles et je couine alors qu'il me tire vers le bord du lit. Il me soulève et me fait tourner pour que je lui tourne le dos. Il bouge doucement mes cheveux et embrasse mon cou tout en baissant la fermeture éclair de ma robe.

Mmm, bébé.

Jésus, tes gémissements me rendent fou, murmure-t-il.

Il déplace mes bretelles, laissant ma robe tomber au sol puis me fait pivoter pour que je sois face à lui.

Alex me regarde de haut en bas et lève un sourcil, pas de soutien-gorge ?

Moins pour que tu décolles, je hausse les épaules.

Il laisse échapper un grognement et me pousse à nouveau sur le lit. Il se penche sur moi et m'embrasse du cou à la poitrine...

Mmm. Ton. Corps. Est. Incroyable. Mmm, dit-il entre deux baisers.

Il passe sa langue contre mon mamelon avant de serrer ses lèvres dessus, suçant fort.

Ah oui ! J'ai appelé.

Sans prévenir, il déchire mon string.

Alex !

Je le sens sourire contre mon mamelon avant qu'il ne le tire avec ses dents.

Merde!

Il embrasse mon ventre, ses doigts ayant déjà fait leur chemin en moi, repoussant brutalement.

Je m'agrippe aux draps et gémis à voix haute alors qu'il me dévore.

J'aime ton goût, grogne-t-il en passant sa langue contre mon clitoris palpitant.

J'ai poussé en avant et j'ai crié à la sensation.

Détends-toi bébé, je vais te faire crier mon nom.

Oh mon Dieu! Alex !

Chapitre 18

Nous sommes rentrés du séminaire depuis quelques jours maintenant. Considérant que je ne voulais pas y assister en premier lieu, notre groupe va en fait me manquer. Nous avons tous convenu de rester en contact et de nous entraider en cas de besoin. En parlant d'affaires, je suis au bureau ce matin en train de revoir la dernière proposition d'un client quand quelqu'un a frappé à la porte.

Entrez!

Matin, Sadie sourit en bondissant dans la pièce.

Bonjour Sadie, Dieu merci, c'est vendredi, n'est-ce pas ?

Sadie rit, ça a vraiment été une semaine étrange.

Euh je sais. Je voulais vous remercier pour tout cette semaine. Ce n'est pas vraiment le problème standard auquel il faut faire face.

Eh bien, personne ne peut dire que mon travail n'est pas intéressant, rit Sadie.

C'est vrai, je ris.

J'arrivais juste avec ton courrier, me dit-elle.

Je roule des yeux, laissez-moi deviner, demandes d'interviews ou commentaires de journalistes ?

Eh bien oui, mais, j'ai déjà mis les demandes dans la déchiqueteuse donc il ne reste plus qu'une invitation à une association caritative.

Je lui souris, t'ai-je dit dernièrement que tu es la meilleure assistante de tous les temps ?

Sadie rit, tous les jours.

Sadie remet l'invitation puis me tend des papiers.

J'ai aussi des factures à vous faire signer.

D'accord merci. Je vérifie et signe les factures et les rends.

Je les tamponnerai et les enverrai à la comptabilité. Y a-t-il...

Harper, nous devons parler !

Mon père fait irruption dans mon bureau, interrompant la pauvre Sadie dans le processus.

Eh bien bonjour à toi aussi papa.

Harper, c'est sérieux.

Donc je suis. Il n'y a pas besoin d'être aussi grossier.

Il se tourne vers Sadie, tu peux partir.

Papa!

Har...

Je levai la main pour lui indiquer de fermer sa gueule.

Sadie, je m'excuse pour les manières diaboliques de mon père. Tu n'as pas besoin de rester, nous allons probablement nous crier dessus en nous disputant maintenant.

Harper je...

Merci Sadie, dis-je en lui souriant tout en interrompant mon père pour la deuxième fois.

Sadie sourit, pas de problème harper, fais-moi savoir si tu as besoin de quoi que ce soit.

Heureusement, il attend que Sadie parte avant de recommencer avec moi.

Pourquoi vous appelle-t-elle harper ? Il demande sévèrement.

Parce que c'est mon nom.

Tu es sa patronne pas son amie, elle devrait t'appeler mademoiselle henderson.

C'est mon assistante pas la tienne alors recule.

Mon père prend une inspiration exaspérée.

Il faut qu'on parle.

D'accord.

Papa soupire, cette vidéo ne va pas disparaître.

Je suis au courant de ça.

Malheureusement, une fois que c'est sur Internet, il n'y a pas de retour en arrière.

Oui, eh bien, certains membres du conseil d'administration ont parlé.

D'accord.

Eh bien, ils ne savent pas si vous êtes le bon candidat pour le PDG.

Y a-t-il eu un problème avec mes performances ?

Mon père s'étouffe avec son propre souffle et j'essaie de ne pas rire de lui.

Eh bien non, mais votre récent incident les inquiète.

Je hausse les épaules avec désinvolture, ok, je suis sûr que vous avez réussi à apaiser leurs inquiétudes.

Mon père me regarde juste. Je sais pertinemment qu'il est le meneur dans cette discussion, il pense que je suis stupide.

Eh bien, papa se gratte la tête alors qu'il se tient là, l'air mal à l'aise.

Je commence à rire, laissez-moi deviner si j'arrête de voir Alex, vous pourrez peut-être les persuader ?

Harpiste... je...

Qu'est-ce que tu veux papa ?

Je croise les bras sur ma poitrine. J'ai fini de jouer et d'après ce que je vois, mon père aussi alors qu'il redresse sa position et me regarde droit dans les yeux.

Votre démission en tant que PDG.

Mon quoi maintenant?

Harper, tu dois comprendre...

Oh, je comprends parfaitement bien. Vous n'êtes prêt à soutenir vos collègues, voire votre famille, que s'ils font ce que vous voulez !

Har...

Sortir!

Merci d'être raisonnable.

Mes yeux s'écarquillent face à son audace. Il fonce dans mon bureau pour me donner un ultimatum puis il me demande d'être raisonnable. je vois rouge.

Raisonnable! Putain de raisonnable ! Foutez le camp !

Mon père a l'air choqué. Nous nous sommes déjà disputés et je me suis crié dessus mais je ne l'ai jamais attaqué comme ça. Au moment où il s'en va, je prends mon presse-papier et le lance à la porte.

Harpiste ?

Sadie arrive en courant, me regardant d'abord puis le trou dans la porte.

Est-ce que tu vas bien? demande-t-elle prudemment.

Désolé Sadie, je ne voulais pas te faire peur. Non, non, je ne vais pas bien du tout.

Y a-t'il quelque chose que je puisse faire?

Je regarde Sadie et souris, tu sais ce que Sadie. Notre week-end va commencer tôt.

Sadie fronce les sourcils, tu m'as perdu.

Avoir le reste de l'après-midi libre.

Mais...

Je secoue la tête et souris, non, pas de mais. Vous travaillez dur, alors continuez. Je serai juste derrière toi.

Je n'ai pas le cœur de lui dire qu'elle pourrait être au chômage lundi.

Merci. Elle sourit.

Non, merci, Sadie, je ne sais pas ce que je ferais ici sans toi.

Je m'assure d'avoir un sourire sur mon visage alors qu'elle rebondit hors de mon bureau, attrape ses affaires et part pour le week-end.

Putain, putain, putain, putain, putain.

Harper : Hey bébé, est-ce que ton père est au bureau ou est-ce que c'est sûr de passer ? Xx

alex : Hé magnifique, il est en réunion toute la journée. Tout va bien? Xx

harper : ok, je suis en route. J'ai juste besoin que tu me tiennes xx

Alex : Harper, qu'est-ce qui ne va pas ? Xx

harper: mon père veut ma démission xx

alex : Il quoi ! ! ! Xx

Je suis déjà dans ma voiture quand je vois son dernier message. Je ne vais pas prendre la peine de lui répondre, j'attendrai juste de lui parler.

30 minutes de route plus tard et je me gare dans le parking de l'entreprise. Je me dirige vers le bureau d'Alex. Je sais où je vais,

heureusement. Je ne visite pas souvent son bureau parce que son père travaille toujours ici, mais j'y suis allé quelques fois. Quand j'arrive au bureau d'Alex, je vois Keeley, son père, et elle a l'air choquée quand elle me voit.

Qu'est-ce que tu fais ici ? chuchote Keeley.

Je suis ici pour voir Alex. Êtes-vous ok?

Les yeux de Keeley s'écarquillèrent, merde. M. Munro senior vient d'entrer dans son bureau.

Oh merde.

Alex savait-il que vous veniez ?

Oui, il a dit que son père n'était pas là.

Eh bien, il ne l'était pas jusqu'à il y a environ 5 à 10 minutes. Comment vous ne vous êtes pas croisés, je ne sais pas.

Je regarde la porte d'Alex pendant une minute avant de me retourner vers Keeley.

Je vais écouter.

Fais attention, chuchote-t-elle alors que je commence à marcher sur la pointe des pieds.

Normalement, je ne ferais pas quelque chose comme ça, mais ce n'est pas ta semaine typique. Je m'approche lentement de la porte et j'appuie mon oreille contre la porte de son bureau.

Eh bien, je dois dire fils, je n'aurais pas pu faire mieux moi-même. C'est comme de la musique à mes oreilles, dit joyeusement m. munro.

Je me demande ce qui l'a rendu si foutrement excité.

Vous l'avez poursuivie pour la mettre au lit, puis vous avez brisé ses défenses pour qu'elle vous fasse confiance...

Il quoi maintenant ?

Ensuite, vous mettez en place la sex tape. Je dois dire que j'étais énervé au début mais maintenant je comprends. Sa carrière et sa réputation sont désormais discutables alors que vous vous en sortez indemne...

Il ne le ferait pas, il n'y a aucun moyen.

Et la cerise sur le gâteau, fils, c'est maintenant que tu me dis qu'elle et le vieil homme Henderson sont énervés l'un contre l'autre au point qu'elle a quitté la maison et qu'il la vire de l'entreprise !

Je vois et je serre les poings en entendant M. Munro rire.

Alors maintenant que vous l'avez détruite, quand allez-vous vous en débarrasser ?

Connard!

Chapitre 19

Je vais le tuer... Comme le tuer en fait ! En fait, je vais tuer les deux connards munro. Je me prépare pour un combat quand je l'entends.

Débarrassez-vous ? Mettre en place une sex tape ? Avez-vous perdu votre putain d'esprit !

Je sens mon corps se détendre légèrement alors qu'Alex crie après son père.

Tu veux dire que ce n'était pas tout un plan ? demande M. Munro.

Sûrement pas! Alex lui crie dessus.

Tu es vraiment avec elle ? demande M. Munro avec incrédulité.

Tu ferais mieux d'y croire!

Dis-lui, bébé !

Avez-vous perdu votre putain d'esprit? M. Munro lui hurle dessus.

Alex soupire, papa...

Non Alex, ne m'ajoute pas ! Je vous ai dit maintes et maintes fois que vous ne pouvez pas faire confiance à un Henderson !

Harpers pas son père ! Alex crie en retour. De plus, je ne pense même pas qu'elle sache ce qui s'est passé.

Connerie!

Papa...

Non Alex, elle te le dit juste pour que tu lui fasses confiance. Ils sont aussi épais que des voleurs !

J'en ai assez entendu. Mon sang bout en écoutant les conneries que l'homme débite.

Et qu'en sauriez-vous, monsieur Munro ?

Les deux hommes ont l'air surpris alors que j'entre dans le bureau.

Bébé combien de temps...

Oh j'ai tout entendu Alex.

Alex a l'air ennuyé tandis que M. Munro se tient debout avec un sourire narquois.

Je ne sais pas pourquoi tu es là, l'air tout arrogant, tu ressembles à un vrai connard ! je lui crie dessus.

Maintenant, attends...

Non, vous m'écoutez et écoutez très attentivement M. Munro parce que j'ai eu assez de connards pour aujourd'hui.

Du coin de l'œil, je vois les yeux d'Alex s'écarquiller et je m'attends à moitié à ce qu'il m'arrête.

Je ne sais pas ce qui me dégoûte le plus. Le fait que vous pensiez que votre fils était capable de traiter un autre être humain comme ça ou le fait que vous étiez fier de lui alors que vous pensiez qu'il l'était. Tu sais que toi et mon père passez tellement de temps à vous dénigrer et pourtant vous êtes comme l'autre.

M. Munro me fixe, attendez une minute...

Je n'ai pas fini ! Je lui crie dessus, vous êtes tous les deux des connards égoïstes qui ne se soucient que d'eux-mêmes et de leur stupide entreprise familiale. Si je vous demandais ce qui vous tient le plus à cœur, vous ne diriez pas immédiatement vos enfants, vous hésiteriez. Je ne doute pas que vous aimiez vos enfants, mais comme mon père, vous avez un plan en tête pour eux et ils doivent le suivre pour que vous soyez heureux, Dieu leur interdit de faire ce qui les rend heureux. Même quand ils ont fait tout ce que vous leur avez demandé, vous trouvez toujours une excuse pour leur faire faire plus.

Ce n'est pas vrai, se moque M. Munro.

Oh vraiment, alors pourquoi n'avez-vous pas encore cédé l'entreprise ? Alex est plus que capable, mais vous continuez à trouver des excuses et à le rabaisser. Comme je l'ai dit connard ! Toi et mon père parlez de sagesse, de croissance et d'années d'expérience, mais vous êtes un couple d'enfants qui ne partageront pas leurs jouets et bouderont sur une petite querelle que vous attendez de la prochaine génération. Même quand ils ne savent pas ce que c'est fini !

Je respire fortement mais j'ai aussi l'impression qu'un poids a été enlevé de mes épaules. Ce connard avait besoin qu'on le dise. Je regarde

Alex qui se tient debout avec un regard amusé alors que son père a l'air de mâcher une guêpe.

Comment oses-tu! M. Munro hurle après moi.

Attention à votre ton ! Alex l'avertit.

Mr Munro me regarde de haut en bas avec dégoût, tu es une petite fille qui essaie de jouer avec les grands.

Il se tourne vers Alex mais pointe vers moi.

Vous voyez à quel point elle est méchante, tout comme sa mère l'a dit.

Ma maman? Qu'est-ce que ma mère a à voir avec ça ?

Je ne peux qu'imaginer le regard sur mon visage en ce moment. La dernière personne à laquelle je m'attendais à être amenée là-dedans était ma mère.

Elle nous a dit ce que vous lui avez écrit ! M. Munro aboie après moi.

Je regarde Alex et je peux immédiatement dire à son expression qu'il sait quelque chose. Qu'est-ce qui se passe bordel ?

Lui a écrit ? Elle m'a abandonné quand j'avais deux ans. Cette salope ne sait rien de moi !

Mr Munro se moque, pas faute d'avoir essayé !

Je pointe directement vers M. Munro, la longueur à laquelle il ira est exaspérante.

Tu ne sais pas de quoi tu parles bordel ! Elle m'a abandonné et ne voulait rien avoir à faire avec moi, ce n'est pas une mère !

Alex et son père me regardent avec confusion. Alex s'approche de moi et me prend la main.

Bébé, nous avons vu la lettre que tu lui as écrite, dit-il doucement.

Lettre? Quelle putain de lettre ?

Je prends une profonde inspiration, Alex. Je sais que j'ai du talent mais j'avais deux ans quand elle est partie, à moins que vous ne sachiez lire les gribouillis. Je n'ai écrit aucune putain de lettre.

M. Munro secoue la tête, vous lui avez écrit quand vous aviez treize ans en disant que vous ne vouliez rien avoir à faire avec elle et qu'elle devait arrêter d'essayer de vous voir.

Je regarde entre Alex et son père, de quoi tu parles ?

Les yeux d'Alex s'agrandirent, oh merde !

Ne faites pas l'idiot, dit M. Munro en roulant des yeux.

Papa, je ne pense pas qu'elle le soit.

Pour l'amour d'Alex, ne...

Papa!

Alex prend sa main libre et déplace doucement quelques cheveux égarés de mon visage, puis il passe son doigt sous mon menton et me relève la tête. Il me regarde dans les yeux comme s'il cherchait quelque chose.

Bébé, sais-tu pourquoi ta mère est partie ?

Ouais, elle en avait marre d'être deuxième dans l'entreprise alors elle nous a quittés tous les deux.

Oh, elle venait bien en deuxième position, mais ce n'était pas pour les affaires, déclare M. Munro.

Alex tourne la tête, papa !

Alex ? Je saisis sa main et il se retourne pour me faire face. Il sait quelque chose, je peux le sentir.

Vous ne savez vraiment pas, n'est-ce pas ?

Savoir quoi ? dis-je exaspéré.

Alex soupire, bébé... Ton père... Il avait une liaison.

Je fronce les sourcils, quoi ?

Je regarde entre Alex et son père essayant de repérer la supercherie.

Es-tu sûr? je demande alex.

Oh, nous sommes sûrs que ça va ! déclare M. Munro.

Papa!

Alex se retourne vers moi. Pourquoi me regarde-t-il avec pitié ? Je ne comprends pas. Pourquoi mon père a-t-il une liaison l'affecte-t-il autant ?

Alex, qu'est-ce que tu ne me dis pas ?

Harper, l'affaire était avec ma mère.

Va te faire foutre! lâchai-je en retirant ma main de la sienne.

Je regarde dans ses yeux, maintenant c'est à mon tour de chercher et ce que je vois est blessé, il ne ment pas.

Il ne le ferait pas, il...

J'ai du mal avec ça. Mon père est beaucoup de choses, je le sais parce que je l'ai appelé la plupart d'entre elles mais la façon dont il parle de loyauté, comme si c'était la caractéristique la plus importante que vous puissiez avoir, je ne l'aurais jamais deviné.

Mais vous étiez meilleurs amis, dis-je, en espérant qu'ils se trompent.

C'est ce que je pensais aussi, se moque Mr Munro.

Mon esprit vacille avec cette information. C'est pourquoi il ne me l'a jamais dit, c'est pourquoi ma mère est partie. Il ne se soucie de la loyauté que lorsqu'elle est envers lui. Il l'a prouvé plus tôt dans la journée lorsqu'il a soutenu son entreprise au lieu de sa fille. Je me sens malade.

Je souffle, oh mon dieu ! Pas étonnant que vous nous détestiez.

On ne te déteste pas, essaie de me rassurer Alex mais je secoue la tête.

Pas maintenant peut-être, mais vous l'avez fait.

Je ne crois pas que vous n'ayez jamais su, vous deviez avoir, déclare m. munro.

Je ne l'ai pas fait, je le jure. J'ai demandé ce qui s'était passé avec maman et il a dit qu'elle en avait marre et nous a quittés, il a dit qu'elle ne voulait rien avoir à faire avec moi.

Mensonges! crie M. Munro. Elle a essayé de te voir, ton père a dit que tu ne sortirais pas de ta chambre, puis il lui a finalement remis cette lettre de ta part.

Je n'ai pas écrit une putain de lettre ! Je crie.

Bébé tu dois te calmer, dit doucement Alex.

Calmer! Vous venez de me dire que mon père a eu une liaison avec votre mère, brisant deux familles et trahissant son meilleur ami et maintenant vous dites que ma mère essayait de me voir mais apparemment elle a reçu une lettre de moi disant non !

Harpiste...

Je... je dois sortir d'ici.

Je viendrai avec toi.

Non! Je prends une profonde inspiration pour essayer de me calmer. Désolé, mais je dois traiter cela et je dois parler à mon père.

Alex me serre contre lui et m'embrasse sur le front.

Promets-moi que tu m'appelleras, dit-il et je hoche la tête.

Je sors de son bureau bouleversée par ce qu'on vient de me dire. Dès que je ferme la porte, j'entends des cris entre eux.

Êtes-vous ok?

Je lève les yeux pour voir Keeley debout devant moi.

Hein? Oh oui, je vais bien. Bon week-end Keley.

Je lui fais demi-tour en marchant dans le couloir. Je retourne à ma voiture. Je ne sais pas trop comment j'y suis arrivé ni quelle direction j'ai prise. Je ne me souviens même pas avoir sorti mes clés de mon sac.

Harpiste ?

Je me retourne pour voir le misérable Munro se tenir là et je commence à calculer quel âge j'aurais après avoir purgé une peine pour gbh.

Vous êtes une femme intelligente.

Je lève un sourcil, ok.

Je sais donc que vous ferez le bon choix.

Choix ?

Reste loin de mon fils, me prévient-il.

Êtes-vous pour de vrai en ce moment?

Morte petite dame sérieuse. Tu le laisses partir et je réaliserai ses rêves. Il sera PDG d'ici une semaine, geignardant et mangeant, il deviendra célèbre. Ne t'inquiète pas, tu seras oublié en moins de temps que ça, me sourit-il.

Et si je ne le fais pas ?

Son sourire se transforme en un air renfrogné, Alex n'aura jamais de compagnie tant que tu es avec lui. C'est un fait.

Je le regarde, tu es vraiment un con n'est-ce pas.

Je n'en suis pas arrivé là où j'en suis aujourd'hui en tant que gentil garçon, me sourit-il.

Quoi, solitaire !

J'ai mes enfants ! Il s'en prend à moi.

Qui perds-tu si tu continues comme ça, je le signale.

Peu importe. Finis-le avec Alex ou je te ruine !

Il rentre en trombe dans le bâtiment. Je monte dans ma voiture et me dirige vers le seul endroit auquel je puisse penser.

Woah, stable Eddie. Qu'est-ce qui ne va pas avec toi? demande Vic alors que j'entre dans l'appartement et claque la porte derrière moi.

Je fonce dans la cuisine et ouvre la porte du frigo d'un coup sec, en sortant une bouteille de vin.

Harpiste ?

Vic est juste derrière moi. Je lui verse deux verres de vin et lui en tends un.

Attendez d'entendre ça !

Je lui dis tout. Même la partie où j'ai dû m'arrêter pour vomir parce que j'étais tellement en colère. Nous venons juste de commencer notre troisième verre quand je l'ai enfin mise au courant.

Jésus bébé, qu'est-ce que c'est que ce bordel !

Je sais!

Je ne sais pas si c'est le spectacle de merde qui est ma vie ou les deux verres de vin en plus ou un mélange des deux, mais nous nous regardons juste et prenons une profonde inspiration.

Vraiment? Sa maman et ton papa ? dit Vic en prenant une autre gorgée de vin.

Apparemment oui. Pensez-vous que Matt sait?

Ah il sait ! Et jusqu'à ce que je le voie.

Je suppose que c'est logique qu'il n'ait jamais mentionné sa mère, dis-je.

Beccas l'a mentionnée plusieurs fois donc elle doit encore la voir, me dit Vic.

Elle a un an de moins que moi donc elle ne s'en souviendra pas, pas comme Alex en tout cas.

Combien de temps a duré l'affaire ?

Je hausse les épaules, je ne sais pas, je ne savais même pas qu'il y en avait un jusqu'à il y a quelques heures.

Vous ne pensez pas...

Je regarde la victime alors qu'elle s'éloigne, quoi ?

Et si Rebecca était ton père ?

Je recrache mon vin, non, non, non !

Mais...

Cela voudrait dire que mon copain est le frère de ma sœur !

Vic se met à rire, oh mon dieu.

Je secoue la tête, non, il n'y a aucun moyen que Munro l'ait élevée. Je sais qu'il les a à peu près élevés, il n'aurait pas fait ça si Becca n'était pas à lui.

En parlant de petit ami, dit Vic alors que je vide le reste de la deuxième bouteille dans nos verres. Qu'est-ce que tu vas faire ?

Je soupire, je l'aime vraiment bien, vic.

Je sais que tu fais bébé.

Mais il a travaillé si dur pour cette entreprise, c'est ce qu'il veut.

Et toi harpiste, que veux-tu ?

Je veux ce que n'importe quelle femme veut.

Chapitre 20

Voudriez-vous regarder l'état de cela.

Je gémis en levant la tête de la table. Je souriais à la tasse de café qui me regardait, mais les muscles de mon visage me faisaient mal. Vic est assise en face de moi et si je ressemble à elle en ce moment, il faudra bien plus que ce café pour m'aider à avoir l'air à moitié décent. J'entends un rire venant de ma droite alors je ferme un œil et tourne lentement la tête.

Jésus! Alex glousse, faisant rire Matt encore plus fort.

Vous devez faire autant de bruit tous les deux ? Vic grogne.

C'est trop drôle, j'ai besoin d'une photo.

Je regarde Matt, je le jure Matt, si tu ne ranges pas ce téléphone, je vais te l'enfoncer si profondément dans la gorge que tu devras te mettre les doigts dans le cul pour y répondre.

Matt lève les mains en signe de reddition, riant toujours. Je regarde Alex qui essaie de dissimuler son sourire avec sa main.

Ce n'est pas drôle Alex.

Oh mais bébé c'est vraiment le cas.

Grrr.

Alex éclate de rire, tu viens de grogner après moi ?

Fais chier Alex, je rigole à moitié.

Combien avez-vous bu hier soir ? demande Matt.

Alex s'assoit puis me déplace pour que je sois assis sur ses genoux.

Je n'en ai aucune idée, mais c'était beaucoup, dit Vic avant de plisser les yeux vers Matt. Nous avions des questions importantes à discuter.

Oh ouais? Matt la taquine.

Ouais.

Allez, frappe-nous avec ça, rit Matt en se tournant vers Alex. J'ai hâte d'entendre ça.

De manière impressionnante, Vic gère un sourire narquois en regardant directement Matt.

Le principal sujet de conversation était que le père de Harper s'amusait avec la mère d'Alex et c'est ce qui a causé la chute monumentale que la prochaine génération paie.

Le visage de Matt tombe avant qu'il ne se frotte la nuque.

Qu'est-ce que j'essaie de me faire comprendre, c'est pourquoi tu ne m'as rien dit ? Vic lui crie dessus.

Alex et moi nous asseyons et regardons l'échange maladroit entre eux.

Bébé, ce n'était pas à moi de dire quoi que ce soit, explique-t-il rapidement.

Pas de secrets, rappelez-vous !

Aww allez, ce n'est pas juste, il mord en retour.

Cela ne fait qu'agacer davantage Vic alors qu'elle pince les lèvres et lève un sourcil vers lui.

Matt secoue la tête, non, ne fais pas ça. Si je te l'avais dit, tu l'aurais dit à Harper tout de suite.

Bien sûr que je le ferais ! Vic crie avant de grimacer de douleur.

Bébé...

Ne me trompe pas, Matt. Je t'ai dit qu'Harper ne savait pas ce qui avait causé les retombées et tu t'es assis et tu n'as rien dit, même quand je t'ai dit que je détestais voir la façon dont elle était traitée à cause de quelque chose dont elle n'avait aucune connaissance.

Pour sa défense, Alex a pris la parole, il est venu me voir et m'a dit que tu avais dit que Harper ne savait pas et je lui ai dit que tu dirais ça.

Vic regarde Alex, je secouerais la tête si ce n'était pas si douloureux en ce moment.

Je pensais juste qu'elle faisait semblant de ne pas savoir pour pouvoir protéger son père.

Je frappe le bras d'Alex, hey !

Désolé magnifique, il rit.

Ce n'est pas drôle Alex, je n'arrive toujours pas à croire que mon père serait tombé si bas.

Alex me serre un peu plus fort et embrasse ma tempe, je suppose que tu n'as pas parlé avec ton père.

Je soupire, non, je suis venu directement ici pour voir la victime, ma tête était en désordre.

Ouais et ça n'a pas été aidé par...

J'écarquille les yeux vers la victime en guise d'avertissement.

Les nombreuses bouteilles de vin que nous avons démolies.

Belle sauvegarde de la victime. Elle va vouloir savoir pourquoi je ne parle pas à Alex de l'ultimatum de son père mais je ne pense pas que ce soit quelque chose que je devrais lui dire devant un public.

Matt tape dans ses mains, eh bien mesdames, cela appelle une journée cinéma !

Je ris devant son enthousiasme.

Que dis-tu bébé, ça ressemble à un plan? Alex me demande.

Je lève les yeux vers Alex et mon cœur fond quand je le vois me sourire, compte sur moi.

Brillant! Matt rebondit, je vais nous commander à manger, vous avez besoin de quelque chose pour absorber l'alcool.

Je vais être malade, Vic saute de la table et court vers la salle de bain. Tous les trois, nous regardons par la porte puis plissons nos visages en l'entendant vomir. Alex et moi regardons Matt.

Je vais juste... Ugh... Je vais vérifier qu'elle va bien.

Nous passons le reste de la journée blottis sur le canapé. C'est génial de pouvoir fermer le monde pendant un certain temps, sans sex tape, sans ultimatums et sans deux pères menteurs. J'absorbe autant de plaisir que possible avant d'avoir besoin de revenir dans la réalité.

J'ouvre la porte et entre dans le vaste vestibule. J'entends des rires venant de la salle familiale alors je m'y rends. Je frappe d'abord puis inspire profondément avant d'entrer. Je suis accueilli avec de grands yeux alors que l'homme qui se fait appeler mon père saute du canapé, laissant tomber la jeune femme qui était drapée sur lui sur le sol.

Je croise les bras sur ma poitrine en attendant que mon père vienne la chercher et m'excuse abondamment de l'avoir laissé tomber en premier lieu.

Je reviens dans une minute, lui dit-il avant de marcher vers moi et de me saisir le bras, me tirant hors de la pièce.

Je vous suggère de retirer vos sales mains de moi ! Je l'ai prévenu.

Ses yeux s'écarquillent à nouveau de surprise avant de se rétrécir et il se renfrogne, qu'est-ce que tu fais ici harper ? Vous auriez pu apporter votre démission au bureau demain.

Oh, je vais vraiment apprécier ça.

Mais je ne démissionne pas.

Vous n'êtes pas... Mais vous devez le faire !

Son visage rougit de colère ce qui ne fait que me faire encore plus plaisir. Après en avoir parlé avec vic l'autre soir, elle a clairement indiqué que je pouvais poursuivre ce que je voulais ou continuer à laisser des connards comme mon père et m. munro me marcher dessus.

Je n'ai rien à faire de tel.

Harper soit raisonnable, c'est dans l'intérêt de l'entreprise.

Pfft s'il vous plaît, vous voulez dire vos meilleurs intérêts, je lui souris, non, si vous voulez que je sorte, vous pouvez m'acheter.

Mon père me regarde un instant avant d'éclater de rire.

Vous ne pouvez pas être sérieux !

Il continue de rire tandis que je le regarde face de pierre.

Après la façon dont tu t'es comporté, t'embarrassant avec ce demi-esprit, tu ne penses pas honnêtement que je te rachèterais. Votre conduite personnelle a une mauvaise image de l'entreprise et c'est dans l'intérêt de l'entreprise que vous partez. Je ne veux pas te virer mais je le ferai, me sourit-il.

Je lui donne quelques secondes pour jubiler puis je souris en retour, oh mais papa tu ne me vireras pas, parce que si tu le fais, je vais dire au monde comment tu as couché avec la femme de ton meilleur ami et c'est pourquoi la paire d'entre vous se disputent depuis près de 20 ans.

Je regarde son visage passer d'arrogant et arrogant à embarrassé.

Ensuite, pour que le public sache vraiment à quoi tu ressembles, je leur dirai comment tu m'as dit que ma mère m'avait abandonné alors qu'en réalité, elle a essayé pendant des années de me voir uniquement pour que tu lui écrives une lettre l'informant que je ne veux jamais voir elle et lui disant que je l'ai écrit.

J'espère avec tout ce que je suis qu'il me dira à quel point c'est ridicule et niera avec véhémence avoir fait quelque chose d'aussi méprisable, mais il ne le fait pas.

Comment as-tu...

Il se frotte le visage avec ses mains pendant qu'il s'éloigne.

Comment l'ai-je découvert ? lui ai-je crié. J'ai dû l'entendre de M. Munro et Alex. Apparemment maman leur a tout dit !

Je regarde l'homme debout devant moi. En grandissant, il a toujours semblé si formidable et pourtant maintenant, eh bien maintenant, il ressemble à un vieil homme solitaire.

Je resterai en tant que PDG jusqu'à ce que vous me rachetiez, je vous suggère donc de contacter les membres du conseil d'administration et de discuter de ce que vous allez m'offrir.

Sans attendre de réponse, je me retourne et sors avec confiance de mon ancienne maison, laissant le vieil homme debout là.

Une fois arrivé à ma voiture, je prends quelques respirations profondes avant de démarrer le moteur et de franchir les grandes portes. Je les regarde dans mon rétroviseur en m'éloignant de cette partie de ma vie.

Un de moins, un de plus à faire, me dis-je alors que je conduis vers ma prochaine destination.

Je prends les petites routes en me disant que je prends la route panoramique alors qu'en réalité je ne suis pas pressé d'y arriver. Ce n'est pas comme ça que j'aimerais passer mon dimanche, d'autant plus que j'ai dû m'arracher des bras d'Alex ce matin et m'éclipser sans le réveiller. Je savais qu'il me demanderait quels étaient mes plans pour aujourd'hui pendant que nous prenions le petit déjeuner et je ne pouvais pas risquer de lui dire. Il me dissuaderait ou insisterait pour venir avec moi et c'est quelque chose que je dois faire moi-même.

La propriété apparaît plus tôt que je ne le souhaiterais malgré un itinéraire plus long et malgré la conduite sous la limite de vitesse pendant tout mon voyage. J'atteins les grandes portes, semblables à celles auxquelles je viens de dire au revoir et je prends quelques respirations profondes avant d'appuyer sur le buzzer.

Alors que j'attends une réponse, je regarde le bâtiment devant moi avec admiration. C'est une maison incroyablement belle, extrêmement grande comme mes pères mais où mon père a préféré la modernité. Vous pouvez dire que cette magnifique pièce d'architecture a vu de nombreuses décennies.

Bonjour, avez-vous un rendez-vous ? La voix du tannoy me demande.

Pas de rendez-vous. Je m'appelle Harper Henderson et je suis ici pour voir M. Munro.

Je sens ma poitrine se serrer en attendant une réponse. Je veux dire qu'il pourrait me dire de me faire foutre et ensuite je devrais attendre jusqu'à demain avant de me précipiter dans son bureau. Je suis distrait en pensant à comment je peux éviter Alex tout en essayant de voir M. Munro dans son bureau. Je n'avais pas réalisé que les portes s'ouvraient. Ce n'est que lorsqu'ils sont complètement ouverts que je reviens à la réalité et que je traverse l'espace ouvert et descend l'allée monobloc.

Comme je n'ai pas l'intention de rester longtemps, je gare la voiture juste devant la porte d'entrée et jette un dernier coup d'œil dans le rétroviseur pour m'assurer d'avoir l'air présentable. Je sors de ma voiture et me redresse avant de me diriger vers la porte d'entrée. Au moment où je lève la main pour frapper, la porte s'ouvre.

Keley ?

Salut harper, je dois admettre que je suis surprise de te voir ici, dit-elle en me souriant doucement.

De même, dis-je, un peu surpris.

Keeley rigole, j'étais juste en train de déposer des papiers qui doivent être signés pour la première chose demain, entrez.

Je suis Keeley dans la maison et regarde autour de moi les magnifiques environs. Contrairement à la maison de mon père, cet endroit est très chaleureux, il y a un éventail de photos de famille ainsi que des ornements chaleureux.

Nous entrons dans une grande pièce qui, je suppose, est le bureau de M. Munros, assis derrière un grand bureau en chêne.

Tu peux nous quitter maintenant, ordonne-t-il à Keeley tout en me fixant du regard.

Nous nous regardons en silence alors que Keeley quitte la pièce en fermant la porte derrière elle.

J'espère que la raison pour laquelle vous vous êtes invité chez moi est que vous avez pris une décision concernant l'offre que je vous ai faite vendredi et que c'est la bonne.

Je lève les yeux au ciel en voyant à quel point il a l'air pompeux, ce qui l'énerve clairement alors que son regard s'intensifie et qu'il bouge sur son siège.

J'ai déjà été voir un vieux bâtard amer ce matin... Je le vois sourire narquoisement à l'insulte envers mon père. J'ai pensé que je pouvais aussi bien voir le second, puis je pourrais profiter du reste de ma journée. Je reste impassible malgré sa bouche tombant devant moi.

Comment oses-tu!

Je levai la main pour le faire taire et ses yeux s'écarquillèrent de surprise.

Je ne suis pas ici pour une dispute ou même une conversation Mr Munro. Je suis venu ici pour dire ce que j'avais à dire, puis je m'en vais. Ce n'est un secret pour personne que je ne vous aime pas comme M. Munro, vous êtes impoli, arrogant et agissez comme il se doit...

Qui diable pensez-vous que vous êtes? Il rugit contre moi.

Cependant, dis-je d'une voix élevée, l'informant que je n'ai pas fini. Après votre comportement de vendredi après-midi, j'ai réalisé que vous êtes une excuse pathétique pour un être humain.

Ses yeux s'exorbitent et je peux voir la veine de son cou éclater près du point d'éclatement.

Bien que je vous ai dit à plusieurs reprises que je n'étais pas au courant de la trahison de mon père envers vous, vous avez continué à affirmer que je savais depuis le début. Vous m'avez ensuite accusé d'avoir renvoyé ma mère à de nombreuses reprises, même lorsque je vous ai informé que je n'en savais rien. Non seulement cela, mais après l'échange houleux, vous me donnez un ultimatum, soit je quitte Alex, soit il n'obtiendra pas l'entreprise, ce que je pourrais ajouter n'est pas une offre.

M. Munro se lève de son bureau mais je ne vais pas le laisser m'intimider.

Je ne prendrai pas cette décision pour Alex, M. Munro, donc si vous tenez tellement à obtenir l'entreprise que s'il n'est pas avec moi, vous devez lui parler directement, mais ne vous attendez pas à ce que je prenne le rôle du méchant ici.

M. Munro bouillonne, écoutez maintenant cette petite dame et écoutez très attentivement. Je ne suis pas sur le point de prendre du recul et de regarder mon fils se ridiculiser avec des gens comme vous...

M. Munro me regarde de haut en bas avec dégoût. Il fait le tour de son bureau pour se tenir devant moi et se penche si près que si je bâillais, je l'avalerais.

J'ai travaillé trop dur pour laisser Alex se faire aspirer par un clochard qui ne fera que l'entraîner vers le bas !

La porte du bureau s'ouvre à la volée juste au moment où M. Munro finit de me crier au visage. Nous regardons tous les deux vers la porte pour voir Alex debout et il a l'air furieux.

Putain qu'est-ce qui se passe ici !

Urgh ! Connard!

Cela fait un mois depuis la semaine la plus chaotique de ma vie. Deux jours après avoir confronté mon père, il m'a fait une offre ridicule. J'ai refusé les deux premiers et j'ai accepté le troisième. Je ne lui ai pas parlé depuis.

En ce qui concerne M. Munro, j'ai décidé que si je perdais Alex, je me battrais. Quand Alex a fait irruption dans le bureau à domicile de M. Munros, il était furieux et voulait une explication. J'ai tenté ma chance et j'ai dit à Alex ce que son père m'avait dit. Alex a confronté son père qui a réussi à garder un visage impassible tout en niant tout l'échange, me traitant de menteuse et de pute.

Inutile de dire que le pauvre Alex était dans une position assez délicate et que je n'étais pas sur le point d'être une vache et de lui faire choisir. Ce qu'aucun de nous ne savait, c'est que Keeley avait été témoin du début de l'échange entre m. munro et moi le vendredi et l'avait enregistré. Quand elle nous a entendus nous disputer, elle est entrée nonchalamment dans le bureau et a montré la vidéo à Alex. Le vieil homme Munro ne pouvait pas nier ce qui était à l'écran.

N'avez-vous pas appris maintenant que vous ne savez jamais qui regarde ! lui lançai-je avant de sortir de ce bureau avec fierté et de le laisser s'expliquer avec son fils.

Alex et moi avons décidé de nous lancer en affaires ensemble en utilisant l'argent que j'ai obtenu de la vente de l'entreprise. Quelques semaines plus tard et nous profitons de vacances dans une belle villa avec Matt et vic. J'ai ma propre entreprise, un homme formidable et des amis fantastiques et j'ai enfin le contrôle de ma propre vie. Qu'est ce qu'un femme voudrait plus?

Tête de con !

Je me précipite vers la piscine où les autres prennent le soleil.

Est-ce que tu vas bien bébé? Alex demande avec inquiétude.

D'accord? Suis-je d'accord? Je suis tout sauf ok !

J'attrape le coussin d'air sur mon lit de bronzage et commence à frapper Alex sur la tête avec.

Argh ! Bébé! Merde!

Je ne peux pas croire que tu m'aies fait ça, connard !

Jésus! dit Vic avec les sourcils levés alors qu'elle essaie de sauver son cocktail.

Quel bébé? Argh ! Je n'ai pas... Argh ! Faire n'importe quoi!

Tu m'as mis enceinte !

Les yeux d'Alex s'écarquillèrent de surprise, quoi !

Matt recrache son verre, oh merde !

Fin

Don't miss out!

Visit the website below and you can sign up to receive emails whenever Jessica Versailles publishes a new book. There's no charge and no obligation.

https://books2read.com/r/B-A-QRXZ-UBSMC

BOOKS 2 READ

Connecting independent readers to independent writers.

Milton Keynes UK
Ingram Content Group UK Ltd.
UKHW010932280823
427620UK00001B/137